As Béal Feirste do Sheán Ó Muireagáin. Tá 35 bliain caite aige ag obair in eamáil an Ghaeloideachais sna Sé Chontae, mar ghníomhaí, mar mhúinteoir naíscoile is bunscoile agus, le 20 bliain anuas, mar Oifigeach Comhairleach. Scríobhann sé filíocht, gearrscéalta, fabhalscéalta agus amhráin. Bhuaigh an dán *An Giorria Éireannach* an chéad duais i gComórtas Scríbhneoireachta Mhanchain in 2015, agus in 2017 fuair Seán an chéad duais arís le *An tAos Eagna Umhal*. Is é seo a chéad chnuasacht gearrscéalta.

1.30 Dark för Island
1.70 Nor freben

GÁIRE IN ÉAG

SCÉALTA LE
SEÁN Ó MUIREAGÁIN

GÁIRE IN ÉAG
Arna chur i gcló den chéad uair in 2018 ag
Éabhlóid
100 Cuarbhóthar Thuaidh
Baile Átha Cliath 7
www.eabhloid.com

Cóipcheart © Seán Ó Muireagáin, 2018
Leagan amach agus clóchur: Caomhán Ó Scolaí
Dearadh clúdaigh: Caomhán Ó Scolaí
Buíochas le Mícheál Ó Domhnaill

ISBN: 978-0-9956119-7-9

Arna chlóbhualadh in Éirinn ag Johnswood Press Ltd.

Foras na Gaeilge

Tá Éabhlóid buíoch d'Fhoras na Gaeilge as tacaíocht airgeadais a chur ar fáil.

Buíochas le Dunla, Buzz, Laoise agus Jackie a chéadléigh na scéalta seo agus a spreag mé lena bhfoilsiú.

Do RÉALTÁN NÍ LEANNÁIN

CLÁR

GLANTÓIR

Bhuail Pádraigín cnag ar an doras tosaigh cé go raibh sé ina luí ar leathfhoscailt. Thug sí faoi deara an phéint a bhí ag scamhadh den doras agus an salachar ar an tairseach. Chuala sí glór an tseanfhir istigh ag scairtigh léi:

'Druid amach an doras ag teacht isteach duit ... a stór!'

Teach beag sraithe in Iarthar Bhéal Feirste; dhá sheomra thíos agus beirt eile thuas. Bhrúigh sí isteach an doras agus bhuail fuarbholadh an tí a srón. Isteach san fhorhalla bheag dhorcha léi. Bhí cábla solais crochta gan bholgán ón tsíleáil. Chuaigh sí thart leis an dá phictiúr ar na ballaí, an ceann d'Fhorógra na Poblachta agus an pictiúr de Bobby Sands ina gheansaí dhearg. Bhrúigh sí an dara doras agus shiúil isteach go dtí an seomra suí cúng. Bhí Tomaí ina shuí ar an tseanchathaoir teallaigh mar is gnách, taobh le háit na tine, a umar ocsaigine lena thaobh. Bhí gach uile rud go díreach mar a bhí an tseachtain roimhe; tábla beag bunchaite i lár an tseomra agus tolg dhá shuíochán réchaite in éadan an bhalla agus ba sin é.

'An bhfosclóidh mé na cuirtíní seo duit, a Thomaí?'

'Ná bac! Is beag is fiú atá amuigh. An mbeidh an t-am agat inniu an tine a chur síos?' Ceist thruacánta a bhí ann. Ba sin an glór a d'úsáidfeadh sé nuair a bhí rud inteacht a dhíth air. D'aithin Pádraigín é. Bhí glórtha eile aige chomh maith, ag brath ar an rud a bhí uaidh, agus de réir a chéile bhí sí ag teacht i dtaithí orthu.

'Má chuirim síos tine, ní bheidh an t-am agam bia a dhéanamh réidh duit. Is fút féin atá sé, a Thomaí. Cad é a dhéanfaidh mé?'

'An tine,' a d'fhreagair sé leis an ghlór dhíomách.

'Cá'l na cipíní agus na lastóirí tine?'

'Faoin pháipéar sin in aice leat.'

Mhothaigh sí glór eile dá chuid, an glór garg a thriailfeadh sé nuair a tugadh cead a chinn dó. Thóg sí na seanpháipéir a bhí ina luí sa teallach mar a raibh cúpla cipín agus bosca beag de lastóirí tine. Thóg sí seanpháipéar nuachta agus thosaigh á leacú agus á gcasadh agus á bhfágáil i gcnap beag le taobh na tine. Bhailigh sí seanbhuicéad agus sluasaid ón chistin leis an luaith a thógáil as an tine. Nuair a bhí sé sin caite sa bhruscar, chuir sí an páipéar agus an t-ábhar eile ar an ghráta agus chuir lasóg leis.

Chuir Tomaí an masc lena bhéal agus tharraing isteach anáil sciobtha.

'Tá sí lasta anois, a Thomaí, ach beidh ort í a chothú nó gheobhaidh sí bás.'

Bhain Tomaí an masc dá bhéal: 'Nach bhfuil an t-am agat ... cupa beag tae a dhéanamh? Ní raibh bricfeasta ar bith agam agus ... tá an t-ocras ag druidim liom, a thaisce.'

A ghlór truacánta arís. Ghéill sí dó an t-am seo. 'Cupa beag gasta ... sin é! Tá an t-ádh ort, níl deifre ar bith orm anois, cá bith. Is tú an duine deireanach inniu, ach tá a fhios agat go maith nach mbíonn agam ach cúig bhomaite dhéag le gach cliant. Déantar roinnt a' bhodaigh ortsa i gcónaí. 'Bhfuil arán ar bith agat nó fiú ábhar ceapaire?'

'Tá, cinnte! Sa bhosca aráin sa chistin ... agus tá liamhás

sa chuisneoir chomh maith. Níl an t-arán ró-úr, tá mé
buartha a rá, ach dhéanfaidh sé cúis.'

D'amharc Pádraigín thart ar an chistin bheag. Doirteal
lán soithí; cuisneoir beag le doras nár dhruid mar is ceart le
blianta; agus cófra nach raibh ach aon doras amháin air
agus gan istigh ann ach cúpla cána pónairí. Rinne sí réidh
na ceapairí agus an tae agus thug isteach sa seomra suí iad;
ag fágáil muga tae ar an tábla do Thomaí. Shuigh sí ar an
tolg agus chuir a cupa féin ar an tábla beag roimpi.

'Tá casadh beag ort ó bhí mé anseo an tseachtain seo a
chuaigh thart. An bhfuil tú ag glacadh do chógais mar is
cóir?'

'Tá, ach ní sin is cúis leis.'

'Ó! Cad é a tharla?'

'Fuair mé scéal ar maidin ón otharlann, bhuel, ón
dochtúir mór ... tá an galar scamhóg seo ag dul a thabhairt
mo bháis gan mhoill.'

'Bhí a fhios sin agat cheana féin!'

'Is é, bhí a fhios agam, ach tá sé do mo mharú anois
láithreach, a Phádraigín. Mí ... nó dhó, má shiúlann an
t-ádh liom.'

D'aithin Pádraigín go raibh sé ag dul ar meath ó
chéadtháinig sí isteach sa teach chuige. Bhí anacair air
ariamh ach bhí sé ag dul in olcas gach uile lá anois.

'Sáróidh tusa an bás, fan go bhfeice tú. Go dtuga an
diabhal coirce duit!'

Níor labhair Tomaí ach a cheann a chroitheadh go
drogallach agus chuir an masc suas ar a bhéal arís. D'análaigh
sé go trom. Lean Pádraigín léi.

'Tá mise ag teacht chugat le breis agus sé mhí anois, a

Thomaí, agus níor luaigh tú do theaghlach ariamh. Nár chóir go raibh daoine eile ar an eolas faoi seo? Cad é faoi na socruithe ... tá a fhios agat?'

Bhain sé an masc dá bhéal.

'Ní fhaca mé ... duine ar bith de mo theaghlach ... le beagnach daichead bliain. Níl duine ar bith eile agam, mé féin amháin ... agus sin mar is mian liom é.'

'Cé a dhéanfaidh na socruithe sin duit, mar sin de?'

'Tá mé féin siar sna seascaidí anois, a thaisce. Níl agam níos mó ach an eimfiséime agus an buidéal seo ocsaigine, dhéanfaidh dlíodóir s'agam gach rud a shocrú domh. Ní bheidh duine ar bith eile a dhíth. Tá an t-adhlacóir díolta cheana féin; dhíol mé é go míosúil ar feadh blianta. Níl duine ar bith a dhíth orm, ná bí thusa buartha.'

'Ní raibh mé ach ag fiafraí, ní tairiscint a bhí ann ná rud ar bith....'

'Gabh mo leithscéal, a Phádraigín, gabh mo leithscéal.' Go truacánta arís: 'Tuigim sin, ach níl rud ar bith a dhíth orm, ná bí buartha!'

'Bhuel, má tá tú i gceart, fágfaidh mé thú mar sin de!'

'Ní sin atá mé a rá ... fan tamaillín eile le do thoil ... le do thoil!'

Ba léir di go raibh comhrá uaidh.

'Ara, críochnóidh mé an tae mar sin de.' Thug sí ar chomhrá eile: 'Níor luaigh tú ariamh cárb as thú, a Thomaí. Mhothaigh mé blas inteacht ar do chuid cainte nach blas Bhéal Feirste é.'

'Maith thú féin, a Phádraigín, ní aithníonn mórán é níos mó. Tá an ceart agat, níor rugadh mé i mBéal Feirste. Chaith mé blianta m'óige i gContae an Chabháin ... i mbaile beag bídeach ... níl eolas ar bith air. Ach d'fhág mé sin uilig i mo dhiaidh breis agus daichead bliain ó shin agus mé i mo dhéagóir. Ní raibh mé ar ais ó shin ach an oiread. Tháinig mé go Béal Feirste fá dheireadh na seascaidí, go díreach sular bhris ... an cogadh amach.'

'Cad chuige ar fhan tú anseo agus an marfach uilig ag dul ar aghaidh ... 'raibh tú ar mire?'

'Fóisíocht na hóige, a Phádraigín ... agus an baile mór, is dócha. Bhí mé óg agus shíl mé go dtiocfadh liom an saol mór a athrú. Ach thairis sin uilig, ní raibh a dhath ar bith i ndán domh sa bhaile, ní raibh an dara suí agam.'

'Ar éirigh leat?'

'Cad é a shíleann tú? Amharc orm anois, a stór ... amharc ar an chró seo ina bhfuil mé agus an drochshláinte atá orm. Maise, níor éirigh liom ach blianta fada a chur isteach sa teach seo gan fiúntas ar bith....'

'Ach nach raibh tú i bpríosún tamall, a Thomaí?'

'Is é, bhí, ach....'

'Gabh mo leithscéal, Tomaí, ní ag cur mo smut i do ghnósa atá mé, ach chuala mé cuid de na scéalta sin fút.'

'Tá tú i gceart, a stór. Is olc an rúnaí an pobal seo. Tá a fhios ag gach duine go raibh. Níl ann ach nár labhair mé féin le duine ar bith fá sin le beagnach fiche bliain.'

'Ná labhróimis air mar sin de. Tá an tae ag dul i bhfuaire.'

Thug sí hob ar éirí. 'B'fhearr domh imeacht, a Thomaí. Beidh mo chuid féin ag fanacht liom sa bhaile.'

Shín Tomaí amach a lámh. 'Tamaillín beag eile, le do thoil.'

'Ceart go leor, a Thomaí, ach tá rogha an chomhrá ag dul i bhfánaíocht.'

'Labhróimis ortsa, a Phádraigín. Níl eolas dá laghad agam ort, a thaisce. Caithfidh sé go bhfuil do scéal féin agatsa; nár tógadh thú féin sa cheantar seo? Tá mé ag déanamh go bhfuil scéalta go leor agatsa féin faoin áit seo?'

'Níor mhaith leat mo scéalsa a chluinstin, a Thomaí, níl sé chomh gaisciúil le do scéal féin agus na blianta sin a chaith tú ... "ag troid ar son na cúise". Bhuel, i bpríosún ar son na cúise sin cá bith.'

'Gaisciúil mo thóin, a thaisce ... i bhfad uaidh. B'óglach mé a lean na horduithe a tugadh domh, ar an drochuair.'

D'aithin sí beagmhisneach ina ghlór.

'Gabhadh mé go hamaideach chomh maith, ní raibh crógacht ar bith ag baint leis. Ach, ná téimis ó do scéalsa, a thaisce.'

'Ní aithníonn tú mo shloinneadh, a Thomaí?' D'fhan sí tamall beag le freagra nach dtáinig. 'Uí Bhroin an sloinneadh pósta atá orm, ach Ní Dhúthaigh a bhí orm roimhe sin ... deirfiúr le Mícheál Ó Dúthaigh!'

Rinne Tomaí machnamh ar feadh tamaillín agus nuair a labhair sé bhí creathadh beag ina ghlór. 'Micí Mór Ó Dúthaigh? An ... An ...?' Tháinig racht casachtaí air.

'Is é, a Thomaí, an sceithire. Agus do dhalta féin, a Thomaí, níor dhúirt mise ainm s'aigesean le breis agus fiche bliain ach an oiread. Nach bhfuil sé sin aisteach? ... Náireach! Mo dhearthair féin agus níor luaigh mé é le duine ar bith le breis agus fiche bliain agus anois labhraím leatsa faoi agus tú ar leaba do bháis, bhuel, cathaoir do bháis cá bith.'

Bhí glór ag Tomaí an t-am seo nár chuala Pádraigín aroimhe: 'Gabh mo leithscéal, a Phádraigín, ní raibh a fhios agam. Ní raibh mé ag iarraidh seanchairteacha a thochailt ... labhróimid ar rud inteacht eile anois más maith leat....'

'A Thomaí, ní miste liom! Aisteach go leor ach ní miste

liom; níor labhair mé air mar is ceart ariamh agus seans maith nach bhfaighidh mé deis mar seo labhairt air arís, agus tú … bhuel, tá a fhios agat.…'

'Tá a fhios. Agus beidh sé liom go dtí an uaigh, a thaisce. Is iontach gur sheas sibh é … an teaghlach atá mé a rá.'

'Níor sheas! Ní thuigfeá a dheacra atá sé, a Thomaí … go fóill cuireann sé crua orm. Buaileann sé mé faoi bhun an scéithín gach uile uair. Is fuath liom an mothú sin ionam, amhail is gur mise ba chiontaí.'

'Cha dtearn tusa aon rud!' Shín Tomaí a lámh amach chuici lena suaimhniú. 'Níl tusa freagrach as peacaí do dhearthár. Ní raibh aon bhaint agatsa leis.'

'Nach trua gan tú féin ann ag an am leis sin a rá lenár gcomharsanaigh; shílfeá gur sinne uilig a sceith ar gach duine a bhí istigh, agus ba doiligh dul thart ar an dearcadh sin, a Thomaí. Bhris sé croí mo mháthara. Is é sin is mó nach dtig liom a mhaitheamh. Mharaigh sé í. Níor mhair sí ach cúpla bliain ina dhiaidh sin. Taom croí, mar dhea … croíbhriste! Níor nocht sé ag an tórramh. Cárta fiú … ba chuma leis sa foc! Gabh mo leithscéal, a Thomaí, ní úsáidim an teanga sin de ghnáth. Maith domh é!'

'Tuigim duit, a thaisce, tuigim go maith. Ná bí thusa buartha!'

'Ba Phoblachtach go smior í mo mháthair. Shiúil sí na bóithre uilig ar fud na tíre seo ar son na stailceoirí agus gach rud eile. Bhí an bhratach ar bhalla an tí gach uile Cháisc. Bhí an-mheas uirthi sa phobal, a Thomaí.'

Theann Tomaí lámh Phádraigín.

'Is maith is cuimhin liom í, a Phádraigín. Is cuimhin liom mar a bhí sí. B'uasal an bhean í.'

Bhí na deora ag titim anuas ar a pluca anois. 'Chuaigh feall a mic go dona di. Dá mbuailfeá í le casúr, ní leagfá buille ní ba throime uirthi. Bhí náire orainn uilig. Ach mo mháthair … níor labhair duine ar bith ón "ghluaiseacht" léi ina dhiaidh sin. Níor fhág sí an teach ar feadh bliana nó níos mó, ach le dul ar Aifreann an t-aon uair amháin sin. Cha dteachaidh sí ar ais ina dhiaidh sin arís. Dá bhfeicfeá an drochghnúis ar a n-aghaidheanna, á cáineadh agus á lochtú … seanchairde s'aici, comharsanaigh. Rinne Dia duine dona di an lá sin.'

'Cad é faoi d'athair? Nach bhfuil seisean beo go fóill?'

'D'ólfadh sé an sop as an tsrathair! Nach furasta ag na fir é i gcónaí … dul i bhfolach i mbuidéal.'

Tharraing Tomaí a lámh ar shiúl uaithe. 'Ar ndóigh, a stór, tá an ceart agat, nach dtearn mé féin amhlaidh ar feadh fada go leor. Chuaigh mise i bhfolach i mbuidéal chomh maith, go dtí gur dhearmad mé gach uafás i mo shaol….'

Dhearc sé isteach sna bladhairí a bhí ag éirí sa tine.

Bhris Pádraigín an ciúnas.

'Níl fágtha sa teach sin anois ach m'athair agus tá crot an bháis airsean le fada. D'imigh mo dheartháir, Pól, go Sasana fiche bliain ó shin agus níor chuala mé trácht air ó shin. Dá mbeinn féin cróga go leor….'

'Bhuel, ar a laghad níor maraíodh é,' arsa Tomaí le hiarracht eile a dhéanamh í a shuaimhniú.

'Cad é?'

'Micí, níor maraíodh é. Beannacht bheag amháin is dócha!'

Ní raibh a suaimhniú le déanamh.

'B'fhusa orainn uilig dá maródh siad é, ar a laghad bheadh dóchas beag againn go raibh siad contráilte, nó meath ina mbarúil orthu. Ach ní raibh siad contráilte, i bhfad uaidh, d'imigh sé leis na Sasanaigh. Tá fuíoll baiste air. Ba é a bhí ciontach ... ní ba mhó ná ciontach! Ba chuma leis cad é mar a d'fhág sé sinne ... agus an chuma orainne go raibh muid chomh ciontach leis féin!'

Bhris Tomaí isteach arís: 'Níl tú ciontach, eisean amháin atá lochtach.'

'Abair sin le mo mháthair ... is é, sin ceart, ní thig, mharaigh sé í. Níorbh é sceithireacht Mhícheáil a mharaigh í, dá olcas é sin, thiocfadh liom a bheith beo leis sin; ach dúnmharú Shéamaí Óig Uí Ógáin. Mharaigh na hÓglaigh Séamaí Óg mar sceithire, nuair ba Mhicí s'againn an sceithire an t-am ar fad. Sin an rud a mharaigh mo mháthair, an chiontacht sin gur mharaigh a mac féin Séamaí Óg Ó hÓgáin.'

Thit tost ar an tseomra arís. Thóg Tomaí anáil throm. Bhí an glothar le cluinstin ina scamhóga.

'Tchímse máthair Shéamaí ó am go chéile.' Bhí a glór íseal arís. 'Ní aithníonn sí mé, buíochas le Dia. Cnagtha leis an aois roimh a ham atá sí agus cé go bhfuil a fhios ag gach duine faoin spéir cad é a tharla, is cuid amhrais é go fóill.'

Thiontaigh sí chuig Tomaí: 'Agus amharc ormsa féin ... pósta ar phótaire a alpann chuige agus a mhilleann uaidh. Bhí an t-ádh orm nach raibh páistí againn, is dócha. Tá an tubaiste anuas orm ón lá sin a d'imigh Micí s'againne go dtí an lá seo inniu ann. B'fhearr liom dá marófaí é ag an am, sin lom na fírinne, maith nó olc.'

Rinne Tomaí iarracht amháin eile a pian a mhaolú: 'A Phádraigín, a stór, glacaim le gach rud a dúirt tú ansin ach dá olcas gach rud a rinne do dheartháir, cha dtearn tusa aon rud contráilte ... níl aon locht ortsa.'

Theip air arís.

'Tá tú contráilte, a Thomaí. Is mise atá náirithe ar a shon. Is mise atá ag iompar a pheaca ó shin ... mise amháin atá go fóill sa phobal seo, agus níor bhain dearmad ar bith díom faoi ariamh.'

Stop Tomaí í arís.

'Bhí aithne mhaith agam ar do dhearthair, a Phádraigín; bhí sé ina cheannfort orm ag an am sin ... an raibh a fhios sin agat?'

Bhí Pádraigín beagnach ag screadaigh anois.

'Nach maith atá a fhios sin agam, a Thomaí. B'eisean an ceannfort a d'ordaigh bás Shéamaí Óig. Sin é mo náire, a Thomaí, níl rud ar bith níos measa ná sin, aon rud ar bith!'

'Tá, a Phádraigín, tá ... i bhfad níos measa ná sin.'

'Níl, a Thomaí, níl a fhios agat cad é atá tú a rá!'

'A Phádraigín, a stór, creid uaimse é, tá a fhios agamsa go maith!'

'Cad é atá tú a mhaíomh?'

D'amharc Tomaí go dian uirthi mar bheadh sé á scrúdú go domhain. 'Mar a dúirt mé, a Phádraigín, lean muid na horduithe a tugadh dúinn.' Chlaon sé a cheann: 'Ach mura bhfuil tusa cúramach, críochnóidh tú i do sheanaois go díreach cosúil liomsa, i do dheoraí breoite tinn.'

D'fhág sí Tomaí ina shuí ansin ag casachtach agus ag únfairt lena mhasc.

Dhá lá ina dhiaidh sin a fuair Pádraigín scéala gur éag Tomaí agus gur thángthas ar a chorp ina luí ar an chathaoir cois tine, mar a d'fhág sí é an lá sin.

SCEITHIRE

Ní thiocfadh leis bogadh. Bhí sé ceangailte den chathaoir, rópaí ar chaol gach géag agus a chorplach ceangailte go teann de dhroim na cathaoireach. Ghearr na rópaí a chraiceann. Bhí rud inteacht, mála éadaigh b'fhéidir, tarraingthe thar a cheann, rud inteacht tiubh, nó ní fhéadfadh sé rud ar bith a fheiceáil fríd. Bhí a bhéal tirim agus drochbhlas air. Chuala sé daoine ag caint faoina n-anáil ... thuig sé corrfhocal. Ní raibh a fhios aige cá raibh sé, ach gur tugadh aníos staighre é go seomra leapa inteacht is dócha. Bhí sé ag iarraidh gach píosa eolais a bhailiú chuige a thabharfadh leid dó faoi cá raibh sé agus cé leis, ach níos mó ná sin: cá fhad a bhí fágtha aige. Ansin tháinig an buille. Isteach i gcúl a chinn.

Nuair a d'éirigh sé an mhaidin sin ní raibh sé ar a chóir féin, mórán mar a bhí le trí bliana anuas; eaglach agus léirsteanach. Ba mhinic an cheist á bhuaireamh: an dtiocfadh siad inniu? An cheist a bhí ar a intinn aige ón lá sin, an lá a d'athraigh a shaol go huile is go hiomlán, lá na cinniúna, d'fhéadfá a rá.

'Do cheadúnas?' a d'fhiafraigh an banphóilín de ag bloc bóthair ag barr Bhóthar Chluanaí in Iarthar Bhéal Feirste.

'Tá mé buartha ach níl sé liom.'

'D'árachas?'

'Níl. D'fhág mé gach rud i mo chóta eile sa teach, gabh

mo leithscéal. Bhéarfaidh mé chuig an stáisiún iad níos moille, más maith leat?'

'C'ainm atá ort?'

'Máirtín Mac Giolla Íosa.'

'Seas amach as an charr, le do thoil, a Uasail Mhic Giolla Íosa.'

D'fhoscail Máirtín doras a chairr agus thuirling os comhair an bhanphóilín agus a compánach, fear nach raibh mórán níos airde ná í féin. Bhí folt leathfhada rua airsean agus aghaidh a chuaigh leis go maith. Shiúil an tríú póilín chucu agus d'amharc anuas ar Mháirtín go hamhrasach.

'An leatsa an carr, a dhuine uasail?'

'Ní liom. Is le mo mháthair é, ach tá cead agam é a thiomáint.'

'Níl diosca cánach ar an charr, an raibh a fhios agat?'

'Ní raibh a fhios agam sin, shíl mé ... déarfaidh mé le mo mháthair é láithreach!'

'Déarfaidh? Beidh ort a theacht linne go dtí an stáisiún go bhfiosróidh muid na cúinsí seo.'

Bhí sé trí uair an chloig i gcillín sa stáisiún sular oibrigh siad amach cérbh é.

'Máirtín Mac Cionnaith!'

'Tá tú i bponc anois, a Mháirtín,' agus aoibh an gháire ar bhéal an bhleachtaire mhóir thoirtiúil. 'Amuigh ar cheadúnas ón chúirt, ag tiomáint carr nach bhfuil cláraithe, gan árachas, gan cháin, gan cheadúnas fiú agat agus tú ar fionraí cúig bliana. Tá drochthuar fútsa, a stócaigh, suas go cúig bliana ... dhá bhliain go leith i bpríosún agus an chuid eile ar cheadúnas arís.'

Thit ceann Mháirtín. Bhí suaitheadh ina bholg agus

masmas air. Ní raibh ina intinn ach aghaidh a mhná. Gheall sé di nach dtarlódh a leithéid arís, ach ar ndóigh, bhí sé ag tiomáint tacsaí i ngan fhios di le cúpla punt a dhéanamh, airgead póca don deireadh seachtaine. Bhí sé san fhaopach anois, dhíbreodh sí ón teach é. Bhagair sí sin air minic go leor ach chreid sé í an t-am deireanach.

Tharraing an póilín an chathaoir isteach chuig an tábla mhaol. Fear beag é, neamhchosúil leis na póilíní eile sa stáisiún, a chuid gruaige bearrtha go teann ag na taobhanna agus féasóg néata liath ar a smig; rud a chuir cuma níos údarásaí air.

'A Mháirtín. Tuigim nach drochdhuine thú, agus nach raibh tú ach ag saothrú cúpla punt le do bhean agus an babaí a chothú. Tuigim do chás go maith. Níl obair eile ar fáil do do leithéid, tuigim sin. Níl locht ar bith ort féin.'

Tháinig athrach ar ghlór an phóilín: 'Éist, a Mháirtín. Tá deis agat cuidiú leat féin anseo, leis na fadhbanna seo uilig a chur díot.'

Thóg Máirtín a cheann.'Cad é atá tú a mhaíomh...? Tá a fhios agam cad é atá tú a mhaíomh! Beidh mé caillte leis sin! Tá sé róchontúirteach, ní dhéanfaidh mé sin!'

D'éirigh an bleachtaire agus shiúil chuig an doras. 'Is fút féin atá sé, a Mháirtín. Cuidigh liom, cuidigh leat. Déan do mhachnamh air. Is féidir leat a dhul chun an bhaile inniu, nó i gcionn trí bliana. Is fútsa atá sé! Má athraíonn tú do chomhairle, abair leis an chonstábla gur mhaith leat labhairt le Peter, sin mise.'

Gan aon chomhairle dlíodóra ar fáil dó, níor fhan Máirtín ach bomaite gur labhair sé leis an chonstábla.

'Éist liom go cúramach, a Mháirtín.' Chuir an bleachtaire a lámh ar ghualainn Mháirtín agus theann sé é go húdarásach. 'Caithfidh tú bheith iontach cúramach as seo amach. Ná habair le duine ar bith cad é atá tú a dhéanamh nó cé dó a bhfuil tú á dhéanamh ach go háirithe ... do pháirtnéir fiú! Beidh aithne ort ó seo amach ón códainm An Coinín. Aon am a ndéanann tú teagmháil linn, úsáid an t-ainm sin ... ar mhaithe leat féin, an dtuigeann tú?'

'Tuigim ... An Coinín. Go breá!'

Bhí Máirtín ag bárcadh allais agus boladh bréan as. Ní raibh oiread agus deoir ar éadan an bhleachtaire. Shín sé fón chuig Máirtín: 'Ná caill é ... beidh muidne i dteagmháil leat i gcónaí. Tá m'uimhir ghutháin ann faoin ainm Seán Óg. Coinnigh sábháilte í. Ná cuir scairt orm os comhair aon duine eile ach i gcás éigeandála amháin, an dtuigeann tú?'

'Tuigim. Ná bí buartha!'

Bhí an Bleachtaire Sáirsint Brown buartha. Níor chuala sé aon tuairisc ar Mháirtín le lá iomlán agus tháinig siad ar a ghuthán póca i mbosca bruscair ar chúl theach Mháirtín. Níor chaill Máirtín a ghuthán le trí bliana agus rinne sé teagmháil leis chóir a bheith gach lá.

Labhair an bleachtaire isteach sa ghuthán póca. 'Bleachtaire Sáirsint Brown anseo. Caithfidh mé labhairt leis an Bhleachtaire is Cigire Lambert.' D'fhan sé roinnt soicind sula dtáinig aon fhreagara.

'Lambert anseo, an sin tusa, Bobby?'

'Is mé.'

'An bhfuil fadhb ann?'

'An Coinín, a shaoiste. Níl cuma rómhaith ar chúrsaí anseo. Níl iomrá ar bith air sa teach agus fuarthas a ghuthán sa bhruscar. Tá a pháirtnéir ag dul as a meabhair.'

'Cad é faoin charr ... an bhfuil comhartha lorgtha againn?'

'Fuair muid an carr trí thine ag bun na bhFál.'

'Cad é atá uait, a Bobby?'

'Feasachán faisnéise. Gach duine ar a lorg, gach cró folaigh ar an bhaile. Ní bheidh sé rófhada ar shiúl. Plódaigh gach ceantar anois ... níl mórán ama fágtha!'

'Tá sé agat. Coinnigh i dteagmháil liom, a Bobby, má tá nuashonrú ar bith ann, tar ar ais chugam láithreach. B'fhearr liom an ceistiúchán thuas staighre a sheachaint.'

'Tuigim!'

Bhí Micí Mac Eoin ina shuí ag an tábla sa chistin. Bhí a cheannfort, Éamonn de Faoite, ina sheasamh ag an doras cúil ag labhairt ar a ghuthán. Chuir sé an guthán ina phóca agus shiúil ar ais agus shuigh le Micí.

'Cad é an cur chuige a mholfá, a Éamoinn?'

'Bhí muid in amhras faoin focaeir seo le breis agus bliain anuas. Fuarthas gléas lorgtha ina ghuthán agus gléas taifeadta ina charr. Níl aon dabht fá dtaobh de, eisean an sceithire. Seo an duine a raibh muid á lorg le tamall anuas, an suarachán cáidheach; is cuma nach n-admhaíonn sé é ... ach chuideodh sé rud beag. Níl mórán ama agat, a Mhicí. Beidh a fhios ag na Sasanaigh go bhfuil sé imithe cheana féin agus beifear ag plódú na háite gan mhoill. Beidh orainn bogadh go gasta.'

'Tá an t-am gann orainn, ceart go leor. Tosóidh mé láithreach.' Shiúil Micí suas staighre go dtí an seomra beag leapa, áit a raibh Máirtín Mac Cionnaith ceangailte le cathaoir agus beirt fhear eile ina seasamh go ciúin ann. Sheas sé taobh thiar de Mháirtín ar feadh cúpla bomaite sular labhair sé.

'A Mháirtín Mhic Cionnaith, ná bímis ag iomlatáil leis an scéal. Tá a fhios againn go bhfuil tú ag obair do na Sasanaigh. Tá an fhianaise sin againn cheana féin, ní gá dúinn a dhul síos an bealach sin ... ach, agus is "ach" mór é seo, má chuidíonn tú linne anois agus gach eolas a thabhairt dúinn, tá seans maith nach gcuirfear luí na bhfód ort; nach dtiocfaidh an bás fá do dhéin ... má thuigeann tú mé!'

Bhí Micí ag éisteacht go crua mar gurb é an t-aon chéadfaí a bhí aige. Níor aithin sé an glór. Labhair sé fríd an éadach: 'Níl mise ag obair do na Sasanaigh ná baol air! Ní thuigim seo ... le do thoil! Tá tart orm.'

Ní fhaca sé an buille boise ag teacht ach mhothaigh cúl a chinn é. Ní raibh eagla mar seo ar Mháirtín ó bhí sé óg; nuair a thug na póilíní chun an bhaile é an chéad uair a rugadh air i mbun gadaíochta i lár an bhaile. Scanraigh na póilíní an cac as an lá sin; aon bhliain déag d'aois agus cúis choiriúil ina léith cheana. Ba bhreá leis na póilíní céanna a fheiceáil ag teacht chuige anois ... láithreach!

'A Mháirtín, a chara liom. Ná fág breall ort féin. Tá sé rómhall, tá a fhios againn gur sceithire thú. Níl aon dabht faoi sin. Níl de dhíth orainne ach do chomhar le ráiteas a dhéanamh ... gur sceithire éigeantach thú ... go dtearn tú seo faoi éigeantas, nó faoi bhagairt.'

'Ach, tá tú contráilte, cha dtearn mé rud ar bith ... tá mé ag inse duit, fuair tú an duine contráilte!'

Tháinig luí na mbuillí an iarraidh seo ón bheirt fhear eile chomh maith, buillí boiseoige uilig.

'Gach uair a insíonn tú bréag, gheobhaidh tú buille.'

Shuaimhnigh Micí é féin arís.

'Tuigim gur dual do sceithire an bhréag a dhéanamh, ach creid uaim é, ní fiú duit é. Tá a fhios againn cheana féin … ná séan arís é! Anois, abair liom, an mbeidh tú sásta ráiteas a aontú linn a déarfaidh tusa leis na meáin?'

'Iarrfaidh siad ort gach rud a admháil.' Chuir Peter an-bhéim ar an abairt sin. 'Má admhaíonn tú aon rud, fiú aon rud beag bídeach, tá tú marbh. An dtuigeann tú? Ná hadmhaigh a dhath, tá do bheo ag brath air.' Bhí aghaidh Peter an-dáiríre. 'Is í ceilt na fírinne d'aon chosaint. Déan béalrún air go deireadh. Déan do dhícheall seilbh a ghlacadh ar an chomhrá … iarr sagart nó rud ar bith mar sin leis an chomhrá a sheachaint.'

'Ní thig liom rudaí a admháil nach dtearn mé. Mionnaím duit é, tá an duine contráilte agat!'

'Ná déan sin, a Mháirtín. Ní idirbheartaíocht í seo, tá a fhios againn cheana féin. Aontaíonn tú leis seo nó … bhuel, samhlaigh féin an chuid eile.'

'Tá mo mhún agam, a chara, an dtig liom dul chuig an leithreas…? Le do thoil?' Níor bhréag é, déanta na fírinne, ba é sin an t-aon rud a bhí ag tarraingt a airde ón uafás seo. Níor éirigh leis ar ndóigh.

'Nuair a bheas seo aontaithe againn, a chara, dhéanfaidh muid gach rud atá uait.'

'An dtabharfá deoch uisce domh, le do thoil? Tá mo

scornach calctha leis an tart, le do thoil? Ní thig liom labhairt fiú.'

'Faigh deoch uisce dó.'

Chuala Máirtín duine ag scuabáil ar a chúl. Labhair an duine leis arís le guth cineál agrach: 'A Mháirtín, a stócaigh, le tú féin a chur ó chontúirt, beidh ort an ráiteas a dhéanamh agus an fhírinne a inse don phobal. Caithfidh tusa do scéal féin a inse, mar a thosaigh sé seo uilig, mar a chuir na póilíní brú ort, mar a bhagair siad thú.'

Shuigh sé le Peter ag tábla sa Crawfordsburn Inn, áit nach raibh sé ariamh ina shaol agus boladh an bhia ar mhacasamhail nár mhothaigh sé ariamh.

'Foc, Peter, tá an áit seo galánta. Ní fhaca mé a leithéid d'áit ariamh … caithfidh sé go bhfuil sé daor!'

'Ná bí thusa buartha faoin chostas, socróidh mise sin … agus tabhair leat seo fosta.' Shín an bleachtaire clúdach litreach chuige. D'amharc Máirtín isteach ann. Bhí moll nótaí ann; thart ar £200, a cheap sé. 'Beidh carr níos fearr agam díot i gcionn coicíse chomh maith agus ceadúnas úr glan agat arís. Díol an seancharr anois díreach agus scaip an scéal go bhfuil tú ag dul chuig ceant le carr eile a cheannacht. Nuair a bheas an carr eile seo réidh, tá mé ag iarraidh ort clárú leis an chomhlacht tacsaithe áitiúil. Úsáideann na Sealadaigh na tacsaithe sin go minic le rudaí éagsúla a dhéanamh. Tá aithne agat ar chuid acu cheana, tá mé ag iarraidh ort an aithne sin a mhéadú … a bheith mór leo.'

'Cinnte, a Peter. An seo mar a bheidh sé i gcónaí, a Peter … áiteanna mar seo agus bia mar seo?'

'Is é, a Mháirtín. Seo mar a bheas cinnte … agus níos fearr.'

D'fhoscail Micí an doras le labhairt go híseal le hÉamonn a bhí ina sheasamh ansin. 'Tá sé ag séanadh gach rud go fóill agus ag seachaint an chomhrá go glic.'

'Is cuma sa foc. Is é an sceithire é agus ba mhaith liom é a bheith marbh fá dheireadh an lae, bealach amháin nó eile. Tabhair air é a admháil. Má thosaíonn an eagla leis, brisfidh sé, ach beidh an toradh mar an gcéanna sa deireadh, cibé ar bith. Is cuma liom sa foc!'

Mhún Máirtín faoi, agus an bheirt ag caint amuigh. Ní fhéadfadh sé é a choinneáil istigh níb fhaide ach ba chuma leis nó shíl sé go gcuideodh sé lena chás ar dhóigh inteacht. Tháinig Micí ar ais agus d'amharc sé air le bréantas. 'Ach, a Mháirtín, in ainm foc, tá an boladh sin uafásach! Níor mhaith leat go rachadh an scéal seo amach ort?'

'Dúirt mé leat go raibh mo mhún agam … níor éist tú!' D'ullmhaigh Máirtín é féin don bhuille, ach cha dtáinig sé. Mhothaigh sé anáil Mhicí ar an chochall. Rinne sé a dhícheall suí aniar sa chathaoir agus tharraing sé siar a chloigeann ar eagla na heagla, ach bhí glór an duine sólásach.

'Abair liom faoin chéad uair a thug tú eolas do na póilíní, a Mháirtín. Cad é mar a tharlaigh sin?'

'Níl Peter ar fáil faoi láthair, thig teachtaireacht a fhágáil.…'

D'fhan Máirtín leis an ghléas taifeadta. Ba é seo an nós a bhí ag gníomhaí rúnda, teachtaireacht a fhágáil ar taifead agus scairtfeadh Peter ar ais air taobh istigh de dheich mbomaite. 'Peter, a chara! Bhí mo dhuine Pól istigh ar lorg tacsaí inniu; ní raibh ann ach mé. D'iarr sé orm é a thiomáint go teach i bPáirc na Móna, 23 Plás Pháirc na Móna. Thiomáin mé ar aghaidh go barr na sráide agus d'fhan mé le coimhéad cé eile a rachadh isteach agus chonaic mé an fear rua sin, an duine a d'iarr tú orm coimhéad speisialta a dhéanamh air. Shiúil sé thart orm, bhí mo chroí i mbarr mo ghoib, ach ní thug sé faoi deara mé, buíochas le foc. D'fhan mé cúpla bomaite eile ach bhí cuma amhrasach orm i mo shuí ansin agus bhog mé liom. Cuir scairt orm nuair a gheobhas tú seo.'

Bhí Máirtín ina shuí sa charr ag an aonad tacsaithe ag fanacht le custaiméir nuair a tháinig an nuacht ar an raidió.

Tógadh triúr fear agus bean i bPáirc na Móna inniu. Dúirt urlabhraí na bpóilíní go bhfuarthas armlón an IRA i bhfolach i dteach agus go bhfuil an ceathrar a tógadh á gceistiú faoi láthair sa stáisiún ar an Chaisleán Riabhach.

Mhúch Máirtín an raidió agus d'amharc thart air féin go hamhrasach.

'Ar dhíol siad thú, a Mháirtín? An ar son airgid a rinne tú é? Cá mhéad a thug siad duit, £20 … £50 … níos mó? Ar leor é? Tá daoine anois ina luí i gcillín mar gheall ortsa; ar mhaithe le … £100?'

Is maith liom an léine sin, a Mháirtín, ceann úr ab é? Tig sé go maith duit, níl sé róphéacach.' Shín Peter clúdach litreach chuige. 'Tá lúcháir orm go bhfuil tú ag tabhairt aire duit féin. Más fearr a thugann tú aire do ghnóithí, is fearr a bheas rudaí duit, má thuigeann tú mé. Cuidigh leat féin agus cuideoidh Dia leat — nach sin an rud a deirtear? Ach ná seas amach, a Mháirtín. Cuir cuid de i dtaisce fá choinne na coise tinne!'

Chuir Máirtín an clúdach litreach ina phóca agus thóg sé an biachlár.

Bhí Micí ina shuí ar an leaba bheag a bhí sa tseomra agus Máirtín os a chomhair amach, go fóill faoin chochall.

'Tháinig muid ar an ghléas lorgtha i do ghuthán, a Mháirtín, agus an gléas taifeadta i do charr. An dtig leat iad sin a mhíniú domh?'

'Cad é?'

'Ag séanadh arís, a Mháirtín?'

'Gléas...?'

'Gléas lorgtha agus gléas taifeadta! Is é, a Mháirtín, sin mar a leanann siad thú, agus nuair a thug tú do charr dúinne "ar iasacht", sin mar a d'aimsigh siad airm folaithe s'againn agus na daoine a d'fholaigh iad. Beirt óglach agus fear agus bean tí, a Mháirtín, uilig ina luí in athchur faoi choimeád sa phríosún. Mar gheall ortsa, a Mháirtín.'

'Éist, chuir sé samhnas orm féin nuair a chuala mé an scéal sin ach creid uaim é, is cairde s'agam iad, níl baint ar bith agamsa leis!'

'Chuala tú, a Mháirtín ... cé uaidh, ó dó láimhseálaí, ab é?'

'Níl mé ag ceilt na fírinne anseo.'

'Cá bhfuair tú an fón, a Mháirtín?'

'An fón? Cheannaigh mé é ... nó, seans gur thug duine inteacht domh é! Ní cuimhin liom anois.' Bhí Máirtín ag bárcadh allais arís agus boladh na heagla as. Rinne sé aniarracht anois rud ar bith a fheiceáil leis an tsolas bheag sin a bhí ag teacht isteach ag bun an chochaill, rud ar bith lena aird a bhaint ó na ceisteanna deacra seo.

'Scairt muid ar gach duine ar an fhón, a Mháirtín. Cé hé Seán Óg?'

'Seán Óg?'

'Is é, a Mháirtín, Seán Óg, cé hé?'

'Cara liom, sin uilig. Níl ann ach cara liom, déanta na fírinne!'

'Mar sin de, má chuireann muidne scairt air anois, freagróidh do chara Seán Óg é?'

'Má tá sé ar fáil … ní fhreagraíonn sé an fón go minic!'

'Ní fhreagraíonn sé an fón in am ar bith, a Mháirtín, ní sin mar a oibríonn siad; na láimhseálaithe, scairteann siadsan ar ais ortsa. Tuigeann muid an córas, ní tusa an chéad duine a thréig a phobal féin, a Mháirtín.'

'Bleachtaire Sáirsint Brown?'

'Is mé.'

'An Sáirsint Kerr anseo. Fuair muid scéala. Tuairiscíodh go bhfacthas daoine ag aonad na dtacsaithe ag cur duine eile i gcarr agus ag tiomáint i dtreo Bhaile Andarsan. Tá muid cinnte gur sin an áit a bhfuil sé. Tá muid go díreach ar lorg an chairr anois, ní fada go mbeidh sé againn.'

'Go maith, a Sháirsint. Stiúir gach acmhainn chuig an cheantar sin. Beidh mé libh i gcionn deich mbomaite.' D'amharc an bleachtaire ar pháirtnéir Mháirtín: 'Dhéanfaidh mé mo sheacht ndícheall a theacht ar Mháirtín, geallaim duit sin, a thaisce.'

Cnagadh ar an doras agus d'fhoscail Micí é. Labhair an ceannfort leis.

'Tá na Sasanaigh gach áit. Táthar ag plódú an cheantair. Ní bheidh siad rófhada ag teacht orainn anseo....'

'Cad é ba mhaith leat mé a dhéanamh?'

'Is cuma liom anois mura bhfuil go leor agat; tabhair amach é agus déan an gnoithe.'

'Tamaillín beag eile, sin uilig.'

'Níl sin againn. Ní chreidim nó gurb é an sceithire é, is leor an gléas lorgtha agus taifeadta. Dhéanfaidh muid anois é.'

'Ach, dá mbeadh deich mbomaite eile agam d'admhódh sé é, tá sé beagnach ansin anois agus b'fhearr liom....'

'Ná bí thusa buartha, beidh gach súil tirim ina dhiaidh. Ullmhaigh é! An chúlsráid taobh thiar den bheár.'

'Má tá tú cinnte?'

'Tá mé cinnte.'

'Maith go leor. Cuir cúpla fear faire amach le cinntiú go bhfuil an bealach glan.'

'Robert anseo arís, a shaoiste. Tá an teach aimsithe againn ... ag fanacht le hordú uait le dhul isteach!'

'Ná déan rud ar bith!'

'Cad é?'

'Rud ar bith, a Bobby. An dtuigeann tú mé?'

'Ach, a shaoiste....'

'Nár chuala tú mé. Tá an cinneadh déanta. Anois, cuir an feasachán faisnéise ar ceal.'

'Ach, marófar é. Thig linn é a shábháil.'

'Ná cuir tú féin as do bhealach leis, tá duine eile agam duit, duine níos tábhachtaí arís.'

'Ach, gheall mé dó agus dá pháirtnéir, a shaoiste, gheall mé di....'

'Bobby, éist liom, tá tú as do ghealltanas a chomhlíonadh anois, ceart go leor?'

'Is é, a shaoiste, ceart go leor.'

Tháinig an fear óg isteach an cúldoras.

'Tá siad ar shiúl!'

'Ar shiúl?' a d'fhiafraigh Micí le hiontas. 'Cad é an dóigh ar shiúl?'

'Ar shiúl, imithe, dulta! Níl iomrá ar bith orthu amuigh ansin.'

'Seo an deis againn anois, a Mhicí,' arsa an ceannfort. 'Tabhair amach anois é agus déan do bheart.'

'Cad chuige ar imigh siad? Bhí siad chóir a bheith sa mhullach orainn agus anois fágadh mo dhuine ar chúl éaga. Ní thuigim é, cad chuige?'

'Ná bí thusa buartha, a Mhicí. Ní bhfaighidh muid deis eile mar seo, imir do bheart mar a d'ordaigh mé duit!'

'Ach abair go bhfuil siad amuigh ansin i bhfolach ag fanacht linn.'

'Níl duine ar bith ag fanacht leat amuigh ansin, nár chuala tú cad é a dúirt sé, tá siad ar shiúl. Anois, déan do ghnoithe mar a hordaíodh duit.'

Chuaigh Micí isteach sa tseomra leapa arís. Bhí Máirtín ciúin agus socair faoina chochall agus boladh athghéar an mhúin go fóill sa tseomra. 'A Mháirtín, a stócaigh, creidim thú.'

'Cad é a dúirt tú?' Bhí amhras i nglór Mháirtín.

'Creidim thú. Bhéarfaidh muid go teach eile thú anois le

bualadh le sagart. Bhéarfaidh an sagart ar ais chun tí thú. An bhfuil tú sona leis sin?'

'Sona, níos mó ná sona!' Bhí iontas i nglór Mháirtín. Ní raibh sé iomlán cinnte cad é bhí ag tarlú. 'An scaoilfidh sibh saor mé ón chathaoir seo mar sin de?'

'Scaoilfidh cinnte ach beidh tú ceangailte go fóillín agus an cochall ort le nach bhfeicfidh tú duine ar bith againne ná an teach seo ach an oiread agus tú ag imeacht, ceart go leor?'

'Go maith, tuigim sin. Níor mhaith liom duine ar bith a fheiceáil, níor mhaith liom rud ar bith a fheiceáil.'

Shiúil siad amach as an tseomra agus an boladh ina ndiaidh. Shiúil siad uilig síos an staighre agus greim uillinne ag Micí ar Mháirtín. Stop siad ag an doras cúil. Bhí Éamonn ina sheasamh go ciúin ag an doras. Chaoch sé a shúil agus shín a lámh amach chuig Micí. Bhí gunnán aige. Ghlac Micí é agus shiúil amach go cúl an tí, fríd an chlós agus amach ar an gheata go dtí an chúlsráid.

'Fanfaidh muid anseo bomaite le cinntiú nach bhfuil na póilíní thart agus rachaidh muid ar aghaidh chuig an tsagart.' Chroith Máirtín a cheann faoin chochall in aonta.

Chuaigh duine de na fir ar aghaidh ar chlé agus duine eile ar dheis agus shiúil duine acu go dhá cheann na cúlsráide. Shiúil Micí amach agus Máirtín roimhe, b'fhéidir céad slat ar fad.

'Tá muid beagnach ann anois, a Mháirtín. Bomaite beag eile agus beidh tú saor arís. Seo muid. Cnagfaidh mise an doras seo agus tiocfaidh an sagart le tú a thabhairt chun an bhaile, fan anseo soicind.'

Phléasc an gunnán, ar ndóigh. Thit Máirtín ina chnap ar an talamh, a chuid fola ag sileadh amach as cúl an chochaill agus ag meascadh leis an tslodán bheag uisce faoina chloigeann; boladh na toite san aer.

Níos moille anonn san oíche, bhí Micí ina shuí ina theach. Bhí a chuid páistí ag súgradh thart air agus a bhean sa chistin ag ullmhú bí don teaghlach, nuair a bhuail an guthán.

'Glacfaidh mé seo thuas staighre!' a scairt sé amach.

Sin a rinne sé nuair a bhain sé lena shaol eile. 'Bhuel, cad é a shíl tú faoin lá sin, a Phadaí?'

'Go maith, a Mhicí. Iontach maith ar fad. Tá tú cinnte anois go síleann siad go bhfuair siad ár ngníomhaí rúnda?'

'Tá mé cinnte de. Bhí Éamonn iontach sásta faoi … ní thiocfadh leis mé a mholadh ní b'airde ag an chruinniú ina dhiaidh.'

'Ar dóigh! Is féidir linne a bheith ag obair ar aghaidh gan amhras. Labhair mé leis an Ard-Cheannfort agus cheadaigh sé bónas maith airgid duit chomh maith. Tchífidh mé thú amárach ag an Crawfordsburn Inn ag an ghnátham mar sin de. Buailfidh tú le comhghleacaí eile de mo chuid, Peter an t-ainm atá air, duine breá eisean a bheidh ag plé leat amach anseo.'

Idir Dhá Thine Bhealtaine

Bealtaine 1990

Ba léir go raibh an saighdiúir óg gortaithe go holc. Bhí sé ina luí sa gharraí taobh amuigh d'fhuinneog Threasa Uí Dhónaill. Buaileadh san aghaidh le bríce é agus bóithre fola anois lena aghaidh. Patról coise a bhí ann agus scaifte de dhéagóirí óga an phobail ag déanamh ionsaithe orthu le stealladh brící.

'Cad é atá ag dul ar aghaidh amuigh ansin?' arsa an glór ar a cúl.

'Buaileadh saighdiúir inteacht le bríce ... i mo gharraí. Tá sé loite go holc,' a mhínigh sí don fhear óg a bhí ina sheasamh i bhfráma dhoras na cistine. 'Tá scaoll ar na saighdiúirí. Dá bhfeicfeá iad ag rith thart ar mire.'

'Ceirteacha tóna iad uilig. Cad chuige nach n-imíonn siad sa foc! Tá an obair seo olc go leor gan sin amuigh.'

Labhair sé go crosta; leis an eagla a cheilt, a mhothaigh sí.

'Tá jíp ag teacht sna tréinte anuas an tsráid.'

'Gabh ar shiúl ón fhuinneog ionas nach bhfeice siad thú. Ná tarraing aird ort féin anois, in ainm Dé.'

Ghlac Treasa céim siar ón fhuinneog ach d'fhéadfadh sí feiceáil amach go fóill fríd an chuirtín mhogallach. 'Táthar á thógáil isteach sa jíp.' Chonaic sí na saighdiúirí uilig ag léimtí isteach sa jíp ina dhiaidh agus ag imeacht leo faoi luas.

'Tá siad ar shiúl! Buíochas do Dhia!' ar sise. Shiúil sí isteach chun na cistine: 'An mbeidh tusa i bhfad eile leis sin?'

'Leathuair bheag eile. Níl le déanamh ach an claibín a chur ar ais ar an pholl agus sin sin. Tá jab iontach déanta; tá sé níos mó ná mar a bhí ach nuair a bheidh mise réidh leis, ní thabharfaidh duine ar bith faoi deara é!'

D'amharc Treasa air. 'Ar mhaith leat cupán tae nó caife nó rud inteacht?' Thairgfeadh sí cupán dó roimhe seo ach ba dheacair di labhairt leis an fhear óg nuair nach raibh a fhios aici a ainm.

'Níor mhaith, go raibh maith agat, a Threasa. Beidh mé réidh gan mhoill; ní bheidh mé sa chosán agat a thuilleadh.'

Ba é an fear óg céanna a rinne aon obair a bhí le déanamh sa pholl. Ní raibh sé ach tuairim is fiche bliain d'aois agus cuma an-soineanta air leis an chaipín *baseball*. Bhí a chuid éadaigh oibre air mar ba ghnách. Ní fhaca Treasa ariamh é ach ina éadaí oibre ... agus ní fhaca seisean ise gléasta suas ariamh ach an oiread, a smaointigh sí.

Thiontaigh Treasa thart go tobann agus rith ar ais chuig an fhuinneog. 'Dar fia! Tá na saighdiúirí ar ais arís!'

D'amharc sí amach go cúramach ach ní saighdiúirí a bhí ann ach beirt ghasúr óg ag troid le chéile faoi rud inteacht sa gharraí. 'In ainm Chríost! Sílim go bhfuil gunna ag an dá ghasúr sin i mo gharraí.'

Tharraing an fear óg an cuirtín ar leataobh agus d'aithin sé láithreach cad é a bhí ann. 'SR80. In ainm foc!' D'fhan sé cúpla soicind gan corradh. 'Ceart go leor, ceart go leor! Gabh thusa amach agus bain an raidhfil díobh. Anois láithreach!'

D'amharc Treasa air go díchreidmheach: 'Níl mise ag dul

amach ansin … gabh thusa amach agus bain díobh an diabhal rud.'

'Ní thig liomsa a dhéanamh. Tchífear mé … ag do theachsa … le raidhfil! Amach leat anois go gasta sula scaoile siad duine acu féin!' Bhí a chuid súl ag impí uirthi.

Thiontaigh Treasa ar a sála agus rith amach an doras. Bhuail sí boiseog ar cheann duine amháin agus rug greim muiníl ar an ghasúr eile. 'Tabhair domh an focain raidhfil sin anois!' Chuir sí iontas uirthi féin, nó níor úsáid sí mionn mór ar feadh a bí, ach ba mhó an gheit a bhain sí as an dá ghasúr. Bhí an oiread sin iontais orthu gur scaoil siad a ngreim ar an raidhfil agus thit siad beirt go talamh. Rinne sí a fiacla a dhrannadh leo: 'Anois, imígí libh! Agus coinnígí bhur mbéal druidte!'

D'imigh siad beirt ina rith, ag screadaigh leo an t-am ar fad. 'Inseoidh mé do mo mháthair ort, a bhean Uí Dhónaill!' agus iad ag imeacht ina dteannrith i dtreo cheann na sráide an áit a raibh lucht na círéibe.

Rith Treasa isteach sa teach arís ag stopadh ag an doras le hamharc thart uair amháin eile. Dhruid sí an doras agus shín an raidhfil chuig an fhear óg.

'Tóg thusa anois é … níl sé de dhíobháil ormsa.'

Ghlac an fear óg an raidhfil.

'Cad é a thig linn déanamh leis?' a d'fhiafraigh sí go scaollmhar. 'Foc! Foc! Foc! Cad é fá na comharsanaigh? Cad é a dhéanfaidh muid?'

'Fóill, fóill, a Threasa. Socraigh thú féin,' ar sé, ag tógáil a láimhe le Treasa a shuaimhniú agus ag déanamh dearmad go raibh an raidhfil aige.

Léim Treasa siar. 'Níl mise á iarraidh!'

'Ní hé, níl mé á thabhairt duit, gabh mo leithscéal!' D'fhág sé an raidhfil ar an tolg. 'Éist. Scairtfidh mé ar Phadaí. Is leisean an focain poll sin cá bith … déanadh seisean an cinneadh.'

Thóg sé an guthán tí agus thosaigh a bhuaileadh uimhreacha.

'A Phadaí, a chara, tá fadhb againn! Ní hé … ní leis an obair, rud eile ar fad, níos práinní arís!' Bhí a ghlór dearchaointeach ag ardú i gcónaí. 'Ní thig liom é a mhíniú ar an fhón; caithfidh tú a theacht anseo. Ní hé, anois láithreach, beidh fiche bomaite rómhall.' Ba léir méadú an éadóchais ina ghlór. 'Anois láithreach, a Phadaí!'

Chuir sé síos an guthán. 'Tá sé ar a bhealach, buíochas le foc! Níl sé ach ocht mbomaite ar shiúl.' Shuigh an fear óg síos ar an tolg agus an raidhfil lena thaobh. 'Socróidh Padaí seo, fan go bhfeice tú. Tá Padaí an-mhaith ag socrú rudaí.'

Bhí Treasa ina seasamh an t-am ar fad, an dá lámh fáiscthe ina chéile, a cuid gruaige fada órdhoinne ina phrácás agus í ag stánadh ar an raidhfil ar an tolg. D'éirigh an fear óg; b'ionann airde na beirte nuair a sheas siad. Shiúil sé isteach sa chistin arís leis an pholl a dhruid. Lean sí é. Níor labhair ceachtar acu. Sheas sí ag coimhéad air ag obair. Bhí an t-inneall níocháin tarraingthe amach i lár an úrláir agus an fear óg ar a ghlúine sa bhearna.

Rith Padaí isteach an doras cúil. 'Cad é a tharla?'

Mhínigh an fear óg an scéal go deifreach. 'A Phadaí, beidh siad ar ais gan mhoill ar lorg an ruda, cad é a dhéanfaidh muid?'

Rinne Padaí machnamh. 'Clúdaigh suas an poll go gasta agus cuir ar ais an t-inneall níocháin.'

Thiontaigh Padaí chuig Treasa. Labhair sé go séimh. 'A

Threasa, a thaisce, beidh ortsa scairt a chur ar na póilíní agus a rá leo go dtáinig tú ar an raidhfil i do gharraí agus gur mhian leat go dtiocfadh siadsan lena thógáil. Mínigh dóibh go raibh páistí na sráide ag troid faoi agus eagla do chraicinn ort go marófaí duine acu.'

D'amharc Treasa air go hamhrasach feargach: 'Ní dhéan-faidh mé a leithéid ná baol air!'

Leag Padaí a lámh go bog ar a gualainn. 'Éist liom, a thaisce. Níl rogha ar bith eile agat. Dá dtiocfadh ... nó nuair a thiocfas na póilíní ar ais, cuardóidh siad gach teach ar an tsráid, déanfar gach uile theach a stróiceadh as a chéile ar lorg an raidhfil, an teach seo ach go háirithe. Tiocfaidh siad ar an pholl mhór sin i do chistin ... agus níor mhaith leat go dtiocfadh siad ar a bhfuil sa pholl sin, creid uaim é!'

Bhí Treasa as a ciall le heagla. 'Nach féidir iad a thógáil amach anois sula dtaga siad?'

'A Threasa, a stór, níl an t-am againn. Dá dtiocfadh na póilíní orainn ar ár mbealach amach leis an stuif sin uilig ... mharófaí gach duine againn, tú féin san áireamh.' Threisigh sé a ghlór: 'Cuir scairt ar na póilíní anois agus abair leo mar a dúirt mé leat. Tá sé idir fearg na gcomharsanach agus fiche bliain i bpríosún, is fút féin atá sé.'

Thóg Treasa an guthán ón tábla go malltriallach. Bhuail sí 999 le méar chrothach. 'Na póilíní, le do thoil. Haló. Níl a fhios agam cén dóigh leis seo a rá, mar sin de, déarfaidh mé amach é: sílim gur fhág saighdiúir inteacht a raidhfil i mo gharraí. Bhí páistí ag troid faoin ghunna ... bhí eagla orm go marófaí duine acu agus anois tá sé sa teach agam agus eagla mo bháis orm go dtiocfaidh daoine eile lena thógáil. Caithfidh sibhse é a thógáil!'

Labhair an duine ar an taobh eile tamall, ag fiafraí cá raibh sí agus eile agus d'fhreagair sí gach ceist sular chroch sí an guthán. 'Tá siad ar a mbealach. Cad é a dhéanfaidh muid anois, a Phadaí?'

'Cloígh leis an scéal, a stór. Beidh tú i gceart!'

Ní mó ná sásta a bhí Treasa. 'Imígí libh anois ... sula dtiocfaidh siad ... tá seo deacair go leor gan feidhm domh sibhse a mhíniú fosta.' D'ísligh sí a glór: 'Na comharsanaigh, a Phadaí? Tá níos mó eagla orm rompusan. Dhéanfaidh siad mé a mharú, fan go bhfeice tú. Beidh oraibhse mé a chosaint, a Phadaí!'

'Dhéanfaidh muid ár ndícheall, a Threasa. Geallaim duit.'

'Bhur focain ndícheall! Beidh oraibh níos mó ná bhur focain ndícheall a dhéanamh.'

Stop Padaí í: 'Éist, a Threasa, beidh orainne imeacht anois díreach. Beidh siad anseo gan mhoill.' D'éirigh a ghlór ní ba réidhe: 'Is fút féin atá sé anois, a stór. Má chloíonn tú leis an scéal, beidh leat. Geallaim duit!'

D'éalaigh an bheirt amach an doras cúil agus fágadh Treasa léi féin. Níor mhothaigh sí an teach chomh ciúin ariamh. Chuala sí an cuirtín ag bogadh leis an tsiorradh bheag, gach díoscarnach an tí, ach seachas sin, ní raibh ann ach ciúnas; ciúnas eaglach, ciúnas nárbh fhéidir léi a líonadh ach le huafás.

D'amharc sí ar an áit a raibh an poll; chuala sí a croí ag pléascadh ina brollach agus a cuisle ag preabadh ina cluasa. Bhí sí ag cur allais agus bhí a méara bealaithe. Ní thiocfadh léi an crith ina lámha a chur di gur fháisc sí iad ina chéile go teann. *Cá'l na focain póilíní?* Ní raibh sé trí bhomaite go dtáinig an cnagadh ar an doras tosaigh.

D'fhoscail sí an doras rud beag agus chuir a haghaidh sa bhearna. Ina sheasamh roimpi bhí an póilín ard ina éide póilíneachta agus cuma údarásach ar a aghaidh mhór fhada. Bhí triúr saighdiúirí ar a chúl le raidhfilí in airde acu agus sé nó seacht de jípeanna anois taobh amuigh dá teach.

'Nach dtiocfadh libh fuile faile níos mó a dhéanamh?'

Níor fhreagair an póilín í. 'Bean Uí Dhónaill, an tú?' a d'fhiafraigh sé lena dhordghuth údarásach.

'Is mé!'

Má bhí sí scanraithe roimhe sin, ba mheasa i bhfad anois í agus an oiread sin saighdiúirí agus póilíní ag a doras, ina garraí agus ar fud na sráide. Mhothaigh sí a cosa ar crith fúithi.

D'aithin an póilín seo uilig. 'Beidh gach rud go maith, a bhean uasal. Níl muid anseo ach don raidhfil. Tá sé go fóill i do sheilbh, nach bhfuil?'

'Tá,' arsa Treasa go giorraisc, ag tarraingt chuici an doras. 'Gabh isteach, tá sé sa tseomra suí ansin ar an tolg.' Bhí iontas uirthi féin go raibh sí in ann labhairt leis ar chor ar bith.

Shiúil an póilín isteach agus drong saighdiúirí ina dhiaidh. Rith cúpla duine acu suas an staighre agus cuid eile isteach sa chistin.

'Cá'l siad uilig ag dul?' a d'éiligh Treasa.

Thóg an póilín an raidhfil agus thug do shaighdiúir óg é. Shiúil seisean amach leis.

'Níl siad ach ag déanamh cinnte nach bhfuil contúirt ar bith ann dúinne ná duitse, a bhean Uí Dhónaill. Níl aon fhadhb ann, ná bí buartha. A mhalairt ar fad atá fíor, a bhean uasal. Tá muid an-bhuíoch duit as glao orainn faoin raidhfil. Dá bhfaigheadh na daoine contráilte greim air, ní bheadh a fhios agat cad é a tharlódh.'

Rinne an póilín comhartha do Threasa suí ar an tolg. 'Anois, cúpla ceist, a bhean uasal, sin an méid … le rudaí a shoiléiriú. Tuairiscí, tá a fhios agat…!'

Shuigh Treasa, a lámha fáiscthe ina chéile go fóill agus a cuid súl ag fóisíocht thart ag fiosrú cá raibh na saighdiúirí uilig agus an raibh duine ar bith acu ag fiosrú na cistine go géar.

Shuigh an póilín sa chathaoir bhog os a comhair. 'A bhean Uí Dhónaill, an dtig leat inse domh cad é a tharla anseo inniu … mar a tháinig tú ar an raidhfil?'

Mhínigh Treasa an scéal dó faoin saighdiúir óg sa gharraí agus na páistí ag troid faoin ghunna agus go raibh eagla a báis uirthi go marófaí duine inteacht dá réir. Bhreac an póilín mór na nótaí uilig síos ina leabhar.

'Ar aithin tú cé a chaith an bríce a bhuail an saighdiúir óg?'

Bhí iontas uirthi faoin cheist. 'Ní thiocfadh liom duine ar bith eile a fheiceáil … ní fhaca mise ach an duine a bhí sa gharraí, agus fiú ansin, bhí drogall orm amharc amach.'

'Agus cé eile a chonaic thú ag baint an raidhfil de na páistí, a Threasa…? Ní miste leat má bheirim Treasa ort?'

'Níl a fhios agam … níor thug mé faoi deara duine ar bith eile. Bhí mo chroí i mbarr mo ghoib agam le heagla. Ní raibh uaim ach an raidhfil a bhaint díobh.' Chrom Treasa a ceann. 'Beidh an scéal i ngach áit anois … beidh a fhios ag gach duine gur thug mise an raidhfil seo ar ais daoibh.'

'An bhfuil tú anseo leat féin, a Threasa?'

'Cad é mar a bhaineann sé sin leis seo?'

'Níl mé ach ag smaointiú ortsa, a bhean uasal. Dhéanfaidh muid ár ndícheall le cinntiú nach dtabharfaidh duine ar bith trioblóid duit mar gheall air seo.'

'Ná déanaigí sibhse rud ar bith. Ná feiceadh duine ar bith sibh ar ais ag mo dhoras arís. Sibhse amháin a thógfaidh trioblóid orm, má tchí daoine sibh ag mo dhoras arís!'

'Ná bí buartha, a bhean Uí Dhónaill, níl muid ach scairt ghutháin uait as seo amach. Seans maith gur shábháil tú beatha na bpáistí sin inniu. Ba chóir go mbeadh an pobal buíoch duit. Tuigfidh siad sin, geallaim duit, a bhean Uí Dhónaill ... a Threasa.'

Chaith siad chóir a bheith uair an chloig sa teach ag bogadh thart gan aon chuardach ceart a dhéanamh, ach ba bheag faoiseamh sin do Threasa. Sa deireadh, d'éirigh sí féin agus shiúil isteach chun na cistine: 'Ar mhaith libh cupán tae?' ar sise. Ní raibh sí ábalta smaointiú ar leithscéal ar bith eile.

Bhí saighdiúir óg, thart ar naoi mbliana déag d'aois, ina sheasamh sa chistin in aice leis an inneall níocháin le gunna ina lámha agus fear óg eile le caipín ina sheasamh anonn uaidh, dhá throigh ón áit a raibh an poll. Bhí uirthi a bealach a dhéanamh eatarthu go dtí an citeal. Chuaigh sí leis an chiteal a líonadh ach isteach leis an phóilín ard agus d'ordaigh do na saighdiúirí imeacht. Ar a dhul amach dó féin, shín sé cárta chuig Treasa.

'Aon am, a bhean uasal ... is cuma cad é is cúis leis, cuir scairt orm. Sin m'uimhir féin agus uimhir na hoifige.'

Ghlac Treasa an cárta agus chlaon a ceann leis. Taobh istigh de bhomaite, bhí siad uilig ar shiúl agus an teach ciúin. Ní raibh an eagla céanna uirthi a thuilleadh. Faoiseamh a bhí ann anois. Shiúil sí isteach sa chistin agus d'amharc síos ar an urlár.

Níor phill Padaí go dtí an lá dár gcionn.

'Bhuel?' ar sé go fiosrach. 'Cad é mar a chuaigh sé? Go maith, de réir cosúlachta!'

'Cha dtáinig siad ar an pholl, más sin do bhuaireamh!'

'Níorbh é ar chor ar bith, a thaisce, ortsa a bhí mé ag smaointiú.'

Shuigh sé ar an tolg agus d'iarr ar Threasa cuntas a thabhairt ar gach rud. Rud a rinne. D'éist sé go cúramach.

'An bhfuil a fhios agat, a Threasa, gur seo an toradh is fearr a thiocfadh linn a iarraidh.'

'An rud is fearr duitse, a Phadaí, ach an é an rud is fearr domhsa é? Níl mé cinnte faoi sin go fóill!' Thóg sí a ceann agus labhair go tromaí: 'Ar chuala tú aon chaint go fóill? Tá mé cinnte go bhfuil scéal iomlán i mbéal an phobail faoin am seo.'

'Níor chuala mé rud ar bith, a thaisce, rud ar bith. Ná bí buartha, beidh tú i gceart. Anois, bogfaidh mé liom. Beidh orm cúpla rud a thógáil as an pholl le linn na seachtaine, má tá sin maith go leor?'

'Cheadaigh mé an poll, nár cheadaigh? Níor athraigh mé mo chomhairle air sin. Níl ann ach nach raibh mé ag súil leis an amaidí seo, sin uilig.'

'Creid é nó ná creid, a Threasa, tá tú níos sábháilte anois ná bhí ariamh, ní bheidh amhras ar bith ortsa níos mó!'

Agus Padaí imithe, fágadh sa teach í léi féin arís agus an ciúnas thart uirthi, ach níor scanraigh an ciúnas anois í. Chuimhnigh sí ar an am dheireanach a raibh sí chomh scanraithe sa chiúnas ag fanacht le duine a theacht chuig an teach; a fear céile, Micí, sular chaith sí amach é ceithre bliana ó shin. B'fhearr léi an ciúnas ná Micí. Níor chronaigh sí é ar dhóigh ar bith; feillbhithiúnach a bhí ann, dar léi, agus a chruthúnas aici. Níor thacht an bhréag ariamh é, a smaointigh sí ... ba mhór an rud dó gan mé a bhualadh ach an oiread! Bhí sé ina chónaí le bean eile anois, bean óg, bhuel, níos óige ná í féin. Bhí sé i lúb an daichid agus a bhean úr i lár na bhfichidí. *Rómhaith aici!* Níor thuig Treasa ariamh cad é mar a mheall fear dá leithéid bean ar bith, chan amháin bean chomh hóg sin. 'Ach, nach bhfuair sé mise ar an chéad dul síos?' a smaointigh sí ... rud a ghoin go domhain í go fóill.

Ní raibh sí féin aosta ach an oiread, tríocha a haon ... agus dóigh mhaith uirthi, in ainneoin a seala leis an phleidhce sin d'fhear. Chuir a srón féin comhairle uirthi ar ndóigh. Ní hé nach raibh na madaí ag tafann, ach ní raibh fonn uirthi. *Nuair a thiocfas an t-uasal ceart* ... chuir sin gáire dóite ar a béal.

'Bhuel,' ar sí, 'caithfidh mé dul amach agus m'aghaidh a nochtadh leis an phobal arís,' ag ráit amach na bhfocal leis an eagla a mhaolú.

Shiúil sí go dtí an siopa, a bhí cúig chéad slat ón teach; saormhargadh beag áitiúil a mbeadh mórán den phobal ag siopadóireacht ann. Agus í ag siúl thart sa tsiopa ag amharc ar na seilfeanna, ní fhacthas di go raibh duine ar bith ag amharc uirthi. Ní raibh ach cúpla duine ann agus níor tugadh aird uirthi; rud a shuaimhnigh go mór í. Thóg sí bollóigín aráin agus buidéal bainne agus chuaigh fhad le bean óg an tsiopa a bhí ina seasamh ag an scipéad airgid.

'Chuala mé go raibh trioblóid agaibh ar maidin inné. Cad é a tharla?' a d'fhiafraigh an bhean óg di.

'Scáfar a bhí sé!' a d'fhreagair Treasa agus í sásta gur tugadh an deis seo di an t-ábhar a phlé le duine inteacht. 'Bhí círéib ann agus is beag nár maraíodh saighdiúir óg istigh i mo gharraí féin, an gcreidfeá sin?'

'Dar fia, an dtearnadh damáiste ar bith do do theach?'

'Ar an dea-uair, cha dtearnadh, cé go raibh fuil sa gharraí.'

'Meabhlach, meabhlach! Nach bhfuil a dhath eile le déanamh ag an aos óg ach a bpobal féin a scrios!'

'Rómhinic a tharlaíonn sé thart anseo. Tá an diabhal ina gcosa.' Dhíol Treasa as na hearraí agus d'fhág bean an tsiopa ina diaidh.

Ní raibh sé sin ró-olc, a cheap sí. *Seans nach eol do dhuine ar bith cad é a tharla.* Shiúil sí chun an bhaile agus aoibh ar a béal; faoiseamh inteacht faighte aici ón turas. *B'fhéidir nach mbeidh sé chomh holc sin i ndeireadh na dála. Cuirim barraíocht masla agus imní orm féin i gcónaí.* Shiúil sí ar ais ar a socair-shuaimhneas. Ní raibh mórán daoine amuigh ar an tsráid go fóill ar maidin.

An Chéad Chloch

Bhí Treasa ina suí ar an tolg ag amharc ar an teilifís nuair a tháinig an cnagadh gáifeach ar an fhuinneog ... is beag nár léim sí as a craiceann. Bhí sé dorcha amuigh agus eagla uirthi a dhul amach le feiceáil cad ba chúis leis an trup; ach bhraith sí nach raibh rogha aici. D'fhoscail sí an doras go fadálach, gan an slabhra beag a thógáil de, agus dhearc amach go cúramach ar fhaitíos go dtiocfadh rud eile aniar aduaidh uirthi.

Ní raibh neach le feiceáil ar an tsráid, ciúnas amháin a

bhí sa dorchadas amuigh. Ní raibh solas ar bith ag obair ar an tsráid le roinnt blianta, leis na patróil coise a fholú. Níorbh fhéidir léi rud ar bith a fheiceáil gan dul amach go hiomlán agus spléachadh ceart a thabhairt air. Scaoil sí an slabhra agus chuaigh amach go trialach. *Uibheacha!* Ar a laghad dhá cheann briste ar an fhuinneog. *Maistíní cáidheacha!* Shiúil sí go dtí an geata ag deireadh a cosáin agus chlaon a ceann le hamharc ó cheann ceann na sráide. *Rud ar bith!* Chuaigh sí isteach arís agus déistin uirthi. *Cuilcigh!*

Nuair a d'éirigh sí an mhaidin dár gcionn, chuaigh sí amach leis an damáiste a mheas. Bhí dhá ubh briste ar an fhuinneog ach trí cinn eile ar an bhalla thart air. *In ainm Chroim, cad é mar a ghlanfaidh mé sin? Beidh dréimire a dhíth.* Thóg sí báisín amach as an chófra faoin doirteal. *Maistíní cáidheacha suaracha!*

Go tobann stop sí, chrom sí a ceann agus dhruid a súile. Chuaigh sí isteach agus thóg sí an guthán.

Smaointigh sí go dtiocfadh léi teachtaireacht a fhágáil do Phadaí sa chlub áitiúil. Scairt sí ar an chlub agus d'fhiafraigh den fhear an raibh iomrá ar bith ar Phadaí.

'Níl sé ann faoi láthair!'

D'iarr Treasa air scéala a fhágáil dó.

'Dhéanfaidh mé sin, cinnte. Cé a déarfaidh mé a bhí ag glaoch?'

'Treasa. Beidh a fhios aige cé mé féin.'

Chuaigh sí isteach sa chistin agus líon an báisín le huisce agus chuir sópa ann. Chuir sí an scuab fhada faoina hascaill agus chuaigh amach arís leis an fhuinneog a ghlanadh. *Trua nár ghlan mé seo aréir ... tá na huibheacha uilig cruaite.* Chaith sí leathuair ag glanadh na fuinneoige agus aon phíosa uibhe eile arbh fhéidir léi fáil fhad leis leis an scuab fhada ach bhí cuid acu ró-ard ar an bhalla.

Fuair Padaí an scéala go raibh Treasa ar a lorg taobh istigh d'uair. Bhí cruinniú beartaithe aige lena cheannfort cheana féin agus b'fhearr leis sin a dhéanamh ar dtús agus an scéal a mhíniú dósan. Sheas sé taobh amuigh den chlub ag fanacht lena thacsaí. Ní raibh air fanacht rófhada. Chuaigh sé isteach i gcúl an tacsaí agus thug an tiománaí amach an bóthar é. Labhair Padaí: 'Chuala tú faoin eachtra aréir?'

'Giotaí beaga,' a d'fhreagair an tiománaí. Fear sna tríochaidí é, a ghruaig gearrtha go gairid agus aoibh an gháire air mar a bhíonn ar thiománaithe tacsaí i gcónaí.

Mhínigh Padaí dó gach rud a tharla agus iad ag tiomáint thart. Thiomáin sé isteach go carrchlós taobh thiar de chlub an CLG agus stop an carr.

'Is féidir linn leas a bhaint as seo, a Phadaí. Ach d'fhéadfadh sé bheith trom ar an bhean úd. Cad é a shíleann tú féin fúithi, an mbeidh an goile aici dó?'

Chlaon Padaí a cheann rud beag. 'Sílim é, ach mar a dúirt tú, beidh sé crua uirthi. Tá an scéal ag dul thart cheana féin; chuala mé ar maidin gur briseadh uibheacha ar a fuinneog aréir.'

'An bhfuil a fhios ag duine ar bith eile cad é a tharla go fírinneach, a Phadaí?'

'Mise, tusa agus an fear óg, Séamaí Mac an tSaoir, sin é.'

'Coinnigh mar sin é. Dá mbeadh a fhios ag barraíocht, chuirfí an bhean úd i mbaol.'

Chroith Padaí a cheann in aonta. 'Beidh go leor tacaíochta a dhíth uirthi as seo amach ... cúpla punt chomh maith.

Dhéanfaidh mise sin ach má thig rud ar bith suntasach aníos, tiocfaidh mé ar ais chugat. Maith go leor?'

'Déan sin, ach cuimhnigh, ní buntáiste ar bith é seo más léir go bhfuil muidne ag tacú léi, is mó an dochar a dhéanfadh sin ná a mhalairt.'

Thuig sé go maith gurbh fhíor dá cheannfort. Rinne sé a bhealach go teach Threasa.

Tithíocht sraithe a bhí ar an tsráid; ar nós bhunús na gceantar bocht i mBéal Feirste. Bhí garraí beag ag cúl an tí a bhuail le garraí ag cúl na sraithe thíos fúthu. Thiocfadh sé isteach an bealach sin, fríd chaolphasáiste idir dhá theach. Bhí sé cúramach nach bhfeicfeadh duine ar bith é agus rinne a dhícheall gan a theacht le linn an lae ach go fíor annamh, ach bhí práinn leis an chuairt inniu.

Bhí Treasa ina seasamh sa tseomra suite nuair a bhuail Padaí cnaigín ar an doras cúil.

'Scanraigh tú an cac asam, a Phadaí.'

'Gabh mo leithscéal, a Threasa?' ar sé ag siúl isteach go réchúiseach.

Is beag nár bhris an gol ar Threasa nuair a labhair sí: 'Nach bhfaca tú cad é a rinne na spailpíní sin ar mo bhalla tosaigh? Léim mé as mo chraiceann aréir, bhain sé breis agus uair an chloig asam é a ghlanadh ar maidin agus tá cuid de fágtha go fóill. Cad é atá tú ag dul a dhéanamh faoi, a Phadaí?'

Rinne Padaí iarracht í a shuaimhniú. 'Suigh siar, a thaisce. Lig fút. Gheobhaidh mise duine leis an chuid eile a ghlanadh, ná bí buartha.' Rinne sé comhartha léi suí agus shuigh sé féin sa chathaoir bhog os a comhair. 'Anois, inis domh cad é a tharla aréir, ó thús go deireadh.'

Shuigh siad ar feadh leathuaire ag labhairt ar gach rud a tharla le seachtain anuas.

'Creid é nó ná creid, a Phadaí, ach bhí siad an-deas liom agus thug an tsáirsint a chárta domh le scairteadh air dá dtarlódh rud ar bith as alt.'

'Ná scairt air faoin amaidí seo!'

'An síleann tú gur inné a rugadh mé, a Phadaí?'

'Gabh mo leithscéal, a Threasa. Is dea-scéal é gan dabht ... dea-scéal.'

D'amharc Treasa air agus beirfean feirge uirthi. 'Ach cad é faoi scéal na n-uibheacha, a Phadaí? An seo mar a bheas sé a choíche, na bithiúnaigh bheaga sin ag déanamh ionsaí ar mo theach gach oíche?'

Nocht Padaí a bhosa di. 'Déanta na fírinne, a thaisce, beidh cuid de seo ann go cionn tamaillín, ach maolóidh sé agus dhéanfaidh siad dearmad de agus beidh tú ar ais ar do sheanléim arís.'

'Tá súil agam go bhfuil an ceart agat, a Phadaí,' ar sí go hagrach. 'Níor mhaith liom go mbeadh gach duine amuigh ag sílstean gur sceith mé leis na póilíní.'

'Ná bí buartha, a Threasa. Níl ach ceathrar ar an tsaol a bhfuil a fhios acu cad é a tharla anseo go fírinneach. B'fhearr dúinn é a choinneáil mar sin.'

''Bhfuil tú ar focain mire? Más lú atá ar an eolas seo, is amhlaidh is fearr liomsa é.'

Shuigh Padaí siar sa chathaoir. 'Anois, a thaisce, gheobhaidh mise cúpla punt duit leis an ghlantóireacht a dhéanamh. Scairt ar dhuine as an pháipéar, b'fhearr liom gan duine dár gcuid féin a úsáid, leanfadh an chontúirt é sin.'

Nuair a bhí Padaí imithe, mhothaigh Treasa rud beag níos socra. *Dhéanfaidh siad dearmad roimh i bhfad, tá an ceart ag Padaí.* Shuigh sí féin siar ar an tolg arís agus las sí an teilifíseán.

Scaradh na gCarad

Bhraith Treasa nach raibh cuid mhór cairde aici sa phobal seo, ach cara ceart amháin, Máire, agus cúpla duine eile a raibh breac-aithne aici orthu. Bhí sé sé bliana ó bhog sí ón taobh eile den chathair, i ndiaidh Micí a phósadh. Bhí a máthair dubh in éadan an phósta agus b'fhuath léi anois é go raibh an ceart aici faoi Mhicí. Dhá bhliain a d'fhan sí sa teach leis, ag seasamh na honóra; rud a náireodh go deo í. Rachadh siad amach le cara Mhicí agus a bhean chéile, Máire, agus sin mar a chas siad ar a chéile ar dtús. Lean an caidreamh nuair a scar sí le Micí. Ba chara tuisceanach í Máire agus roinn Treasa a rúin léi faoi mar a chaith Micí léi. 'Bhí mise in amhras faoi i gcónaí,' a d'admhaigh Máire, 'ach nuair nár dhúirt tú féin rud ar bith, chuir mé mo bhos ar mo bhéal faoi.'

Bhí sé de nós ag Máire scairt a chur ar Threasa dá mbeadh socrú ar bith le déanamh agus rachadh sise go teach Threasa nó Treasa chuici. Bhí beirt pháistí ag Máire agus bheadh uirthi feighlí leanaí a fháil le dhul amach. Bhí sé cúpla seachtain anois ó chuala sí ó Mháire agus bhí sí buartha go raibh baint aige le heachtra an raidhfil. Ba chinnte gur chuala Máire scéal inteacht faoin am seo.

Chinn sí go mbrisfeadh sí an nós agus scairt a chur ar Mhaire. I ndiaidh leathbhomaite, cuireadh chuig an ghléas freagartha í. 'An gcuirfeá scairt ar ais orm nuair a gheobhas tú seo?' ar sí agus chroch sí suas. Shuigh sí sa chathaoir bhog.

Chuaigh trí uair an chloig thart ach cha dtáinig freagra ar bith ó Mháire. Scairt Treasa arís, agus arís cuireadh chuig an ghléas freagartha í. Níor fhág sí teachtaireacht an t-am seo. *Níl sé seo cothrom, níor fhiafraigh sí díomsa cad é a tharla.* Dhruid sí a súile agus lig sí faí ghoil aisti.

Cúpla lá ina dhiaidh sin agus í ag siúl chuig an tsiopa, chonaic sí Máire chuici. Phreab a croí ina brollach agus bhí mearbhall ina ceann. *Cad é a déarfaidh mé léi?* Ar fheiceáil Treasa do Mháire, thiontaigh sí láithreach agus chuaigh anonn an bóthar. Chuaigh sí thar Threasa ar an taobh eile gan amharc uirthi. Dheifrigh Treasa chun an bhaile. Bhí an t-íochtar á chur in uachtar go cinnte, a smaointigh sí.

Brathadóir

'Tig siad faoi choim na hoíche agus mé i mo chodladh, i mo leaba féin, go spochtar na magairlí astu. Cad atá tusa ag dul a dhéanamh faoi seo, a Phadaí?' Dhírigh Treasa a cuid feirge uilig ar Phadaí. 'Brathadóir atá scríofa ar thosach mo thí agus gach duine ag amharc orm anois mar bhrathadóir. Tá sé ag dul thar fóir, a Phadaí. Nach bhfuil bealach agaibh leis seo a stopadh?'

'Ní dhéanfaidh duine ar bith dochar duit, a Threasa. Geallaim sin duit. Ach bhí a fhios againn go leanfadh an chontúirt an cinneadh.' Thiontaigh sé an scéal. 'Suigh fút anseo, a Threasa.' Threoraigh Padaí go dtí an chathaoir bhog í. 'Cuir scairt ar dhuine leis an bhalla tosaigh a phéinteáil. Bhéarfaidh mise an t-airgead duit ar ball, ach déan an scairt anois. Gheobhaidh tú duine inteacht sa ...

cad é faoin duine a fuair tú leis na huibheacha a ghlanadh an t-am sin?'

Bhí Treasa ar steillchrith agus na deora ag titim go fras. 'Tá mé ar an dé deiridh, a Phadaí. Ní labhraíonn duine ar bith de na comharsanaigh liom níos mó agus thug m'aon chara amháin sa phobal a dúdhroim liom. Níl seo ceart ná cóir, a Phadaí. Cha dtearn mise aon rud mícheart.'

'Beidh deireadh leis seo uilig i gcionn tamaill, a Threasa. Dhéanfaidh siad dearmad den rud uilig agus beidh rudaí i gceart arís, fan go bhfeice tú.'

'Tá sé furasta agatsa sin a rá, a Phadaí. Níl duine ar bith ag ionsaí do theachsa i lár na hoíche. Cad é a dhéanfaidh mé má bhriseann siad isteach agus mé i mo luí? In ainm Chroim, a Phadaí, cad é a dhéanfaidh mé?'

'Ní dhéanfar sin! Gheobhaidh mise barra anuas don dá dhoras, ar tosach agus ar chúl. Dhéanfaidh mé anocht é. Ní bheidh aon bhealach isteach ann. Bíodh a fhios agat, a Threasa, ní thiocfaidh duine ar bith. Geallaim sin duit.' Sheas Padaí: 'Anois beidh cupán tae againn.'

'Le do thoil, a Phadaí.'

Chuir Padaí an dá chupán ar an tábla bheag giúise idir an tolg agus an chathaoir bhog agus shuigh sé féin ar an tolg. Shuigh siad tamall gan focal eatarthu ach iad beirt faoi dhianmhachnamh.

Chuimhnigh Treasa an chéad uair a casadh Padaí uirthi. Aisteach go leor, ba é Micí, a fear céile, a chéadchuir Padaí in aithne di. Ba lú air an diabhal ná Micí agus b'fhollasach go maith go raibh eagla ar Mhicí roimhe. Níor thuig Treasa ag an am go raibh a fhios ag Micí an bhaint a bhí ag Padaí leis an ghluaiseacht. Thaitin sé go mór léi go raibh eagla ar

Mhicí roimh dhuine inteacht; cé go raibh Padaí ar a laghad deich mbliana ní b'óige ná é. Chreid sí gurbh é sin an fáth ar chuir sí spéis sa duine chiúin seo ar an chéad dul síos.

Níor bhuail siad le chéile ach go fíorannamh san am úd, ach níor fhailligh sí riamh an deis labhairt leis. Tharla an chéad chomhrá, faoi chúrsaí polaitíochta na tíre, lá amháin nuair a rinne Micí ráiteas inteacht lústrach faoin stailc ocrais agus d'aithin Treasa gur thuig Padaí cad é a bhí ar bun aige.

Nuair a bhí Micí ar shiúl, ní raibh an deis chéanna aici labhairt le Padaí, ach amuigh le Máire sa chlub uair sa mhí. Bhraith Padaí ariamh gur thacaigh Treasa le cúis na gluais-eachta agus de réir a chéile chuir sé níos mó muiníne inti. Ní duine soghonta ariamh í Treasa ach nuair a d'iarr Padaí uirthi stuif a choinneáil ina teach, ba bheag nár thit sí i laige.

Tháinig sé go dtí an teach oíche amháin agus shuigh siad ag caint agus ag plé iarmhairtí an chinnte. 'Athraíonn sé do shaol. Beidh ort gan a chur in iúl do dhaoine go bhfuil tú báúil don chúis ... a mhalairt ar fad!' Leanfaidh na focail sin é go dtí an uaigh anois, a smaointigh Treasa. Den chéad uair an lá sin, tháinig miongháire ar a béal.

'Cuirfidh mé scairt ar an fhear sin anois agus beidh an phraiseach glanta faoi dheireadh an lae. Beidh orm an teach a ghlanadh, má tá oibrí ag teacht; níor mhaith liom drochbharúil a bheith ag daoine fúm ... ar mhaith?'

Comharsanaigh

Chuaigh dhá mhí isteach gan mórán trioblóide ag Treasa ó na comharsanaigh, cé nár labhair duine ar bith léi ach an oiread. Sheachain sí an siopa áitiúil ó scríobhadh BRATHADÓIR ar an bhalla, ach anois bhí cúpla mionearra a dhíth agus ní raibh fonn uirthi dul chuig an ollmhargadh ar an phríomhbhóthar.

Ar dhul isteach sa tsiopa di, níor thug sí faoi deara aon rud as bealach. Thóg sí bainne agus im as an chuisneoir agus thug go dtí an cuntar iad. Shiúil beirt óganach isteach, péire a bhí thart ar sheacht mbliana déag d'aois agus cuma ghrabasta orthu.

'Sin an brathadóir sin, Uí Dhónaill!'

Léim a croí isteach ina béal.

'Bitseach cháidheach!' arsa an leaid céanna ag scairtigh. 'Cé a thug cead duitse bheith ag siopadóireacht sa tsiopa seo?'

Níor thiontaigh Treasa thart le hamharc air fiú; d'fhan sí ag an chuntar ag stánadh ar an bhean óg a bhí roimpi ag an scipéad. Mhothaigh Treasa é ina sheasamh ar a cúl; mhothaigh sí a anáil ar chúl a muiníl. Go tobann mhothaigh sí a lámh á tarraingt thart.

'Nár chuala tú mé, a bhitseach?'

Mhothaigh sí a anáil agus seile ar a haghaidh. Rug sé ar dhá bhóna a cóta agus tharraing chuige í. D'amharc sé sna súile uirthi agus ansin chaith go leataobh í.

Agus Treasa ag titim, shín sí amach a dá lámh le hí féin a shábháil. Thit an bainne agus an t-im, an buidéal ag briseadh fúithi. Rug sí ar chás taispeántais ina raibh moll barraí seacláide ach tharraing sí gach rud anuas sa mhullach uirthi féin. Tháinig an cás féin anuas, ag bualadh a cnámh lorga. Bhí bríste deinime uirthi, ar an dea-uair, ach ba léir go raibh sí ag cur fola. Luigh sí ar an urlár, bainne agus barraí seacláide gach áit thart uirthi agus an dá leaid ag gáire leo. Níor dhúirt duine ar bith eile rud ar bith agus fear mór inteacht ina measc ar cheart dó fios níos fearr a bheith aige.

D'éirigh Treasa ina seasamh, ag sleamhnú rud beag fúithi, agus rinne sí ar an doras; rith sí amach agus dheifrigh léi gur bhain sí an teach amach.

Shuigh sí sa halla bheag taobh thiar den doras, a haghaidh ina lámha, ag caoineadh uisce a cinn. Shuigh sí ansin ar feadh leathuaire sular bhog sí go dtí an chathaoir bhog. Chuaigh deich mbomaite eile thart nuair a chuala sí cnag éadrom ar a doras. *Dar fia, cad é eile?* Sheas sí ag an scáthán agus cheartaigh sí í féin. D'amharc sí amach ar an fhuinneog. Chonaic sí an bhean bheag, Pádraigín Ó Tuama, máthair duine de na gasúir a bhí ag troid faoin raidhfil sa gharraí. *Íosa Críost, cad é seo?* Chuaigh Treasa amach sa halla agus scairt fríd an doras: 'Cad é atá uait, a Phádraigín?'

D'fhreagair Pádraigín go híseal. 'Gabh mo leithscéal, a Threasa, ach bhí mé ag iarraidh labhairt leat le tamall anuas. An miste leat, ba mhian liom ... ba mhian liom mo bhuíochas a thabhairt duit!'

Bhain sé seo geit as Treasa nó bhí clú trodach ar an bhean seo ariamh agus ba deacair a chreidbheáil go raibh sí anseo le buíochas a thabhairt. 'As cad é, a Phádraigín?'

'Ba chóir domh a theacht chugat roimhe seo, ach bhí eagla orm. A Threasa, tá mise an-bhuíoch díot gur bhain tú an raidhfil sin de mo mhaicín; thiocfadh leis a bheith marbh anois ach go bé thú.'

Chuir Treasa an slabhra beag ar an doras agus d'fhoscail sí é le hamharc ar Phádraigín. Ní thiocfadh léi é a chreidbheáil. Chonaic sí aghaidh bheag Phádraigín agus ba léir nach raibh ceilt na fírinne ann. D'fhoscail sí an doras agus d'iarr uirthi a theacht isteach. 'Suigh ansin.' Sméid Treasa chuig an tolg.

'Chuala mé cad é a tharla ag an tsiopa ar ball ansin agus bhí an oiread sin náire agus feirge orm go raibh orm a theacht le hinse duit nach bhfuil gach duine i d'éadan, a Threasa. Dá dtarlódh an rud céanna domh féin, níl mise cinnte go mbeinn cróga go leor scairtigh ar na póilíní.'

Bhí na focail caillte ar Threasa. 'Ar mhaith leat cupán tae?' an t-aon rud a tháinig amach as a béal.

'Bheadh sé sin go hiontach,' a d'fhreagair a haoi.

Labhair Pádraigín ar dtús: 'Caithfidh go raibh sé trom ort ó tharla an eachtra sin, a Threasa? Bhí mé ar buile liom féin, déanta na fírinne, dá labhróinn leat roimhe seo nó dá mbeinn leat ag an tsiopa, ní tharlódh a leithéid.'

'A Phádraigín, ní chreidfidh tú go deo an oiread faoisimh a chuir tú orm leis an chaint sin uilig. Shíl mé go raibh mé liom féin anseo. Tá mé buíoch díot as a theacht leis sin a rá liom. Tá mé iontach buíoch!'

'Bhí eagla orm a theacht ... sin an fhírinne. Bíonn daoine ag caint fúm agus mo pháistí agus ní thig liom iad a bhréagnú. Bhí fadhbanna agam agus bíonn mo pháistí ag crá an phobail. Bhí siad as smacht tamall i ndiaidh domh scaradh ón diabhal d'amadán sin a raibh mé pósta air le blianta.'

'Ní raibh a fhios agam go raibh tú scartha, a Phádraigín.'

'Trí bliana thart. Agus admhaím é anois, bhí fadhbanna móra agam ag an tús. Bhí mé ag obair gach lá. Bhí na gasúir ag cailleadh scoile go rómhinic agus ag tógáil trioblóide domh sa phobal. Bhí mé i ndeireadh na péice ... ag troid le gach duine! Nuair a chuala mé cad é a tharla i do gharraí an lá sin, beag nár theip mo néaróga orm go hiomlán.

Mhothaigh mé nach raibh mé i mo mháthair orthu ar chor ar bith. Ó sin amach, chuir mé cosc ar na gasúir dul amach san oíche agus ... bhuel, tá a fhios agat....'

'Caithfidh mise pardún a gabháil leatsa chomh maith, a Phádraigín, nó bhí an dearcadh sin agam ort. Níor aithin mé na fadhbanna sin agat; ní fhaca mé ach an trioblóid a thóg na gasúir orm féin. Tá mé millteanach buartha nár thug mé cuid ar bith de sin san áireamh!'

'An ólfaidh tú braon eile tae, a Phádraigín? Tá cúpla briosca agam fosta más maith leat?'

'Tá mé buartha, ní thig liom fanacht rófhada. Tá an sionaglach óg sin ag fanacht liom sa teach. Ach tiocfaidh mé ar ais, mura miste leat ... agus buidéal liom an chéad uair eile go ndéanfaidh muid oíche de, más maith leat!'

Cuairt gan choinne

Sheas Treasa ag amharc ar Phadaí agus é ag obair sa pholl. Bhí trí raidhfil ina luí ar an urlár.

'An bhfuil tú chóir a bheith réidh ansin, a Phadaí? Ba mhéanar liom mo dhinnéar a dhéanamh réidh.'

'Deich mbomaite eile, sin é, agus ní bheidh mé sa chosán agat a thuilleadh.'

Bhain cnag ar an doras geit as an bheirt acu. Rith Treasa isteach sa tseomra suí le feiceáil cé a rinne é.

'Íosa Críost, a Phadaí ... na póilíní. Cad é a dhéanfaidh mé?'

'Ná foscail an doras!'

'Tá na soilse lasta agus an teilifís ar siúl; tá a fhios acu go bhfuil mé istigh.'

'Tabhair leathbhomaite domh leis seo a dhruid suas.

Druid an doras sin, fanfaidh mise istigh anseo agus foscail an doras tosaigh sula mbrisfidh siad isteach é.'

Bhí Treasa ag stánadh air le hiontas.

'Foc, a Threasa, níl a fhios agam! Foscail an focain doras!'

Chuaigh Treasa amach agus d'fhoscail sí an doras tosaigh. An sáirsint céanna a bhí ann.

'A bhean Uí Dhónaill, is deas tú a fheiceáil arís ... an dtig liom a theacht isteach bomaite, le do thoil?'

'Cad chuige a bhfuil tú anseo? An bhfuil tú ar mire ag teacht chuig mo dhoras arís ... cad é atá uait, in ainm Chroim?'

'Tugadh le fios dúinn gur ionsaíodh tú ag an tsiopa ar na mallaibh, agus tháinig mé le cinntiú go raibh tú i gceart agus le tuairisc a thógáil. Thig linn rud inteacht a dhéanamh faoi seo más maith leat.'

'Is mar gheall oraibhse a tharla sé sa chéad dul síos ... nach dtuigeann tú? Agus tarlóidh sé arís mura n-imí tú anois láithreach. Le do thoil, bí ar shiúl agus tabhair na saighdiúirí sin leat.'

'Tuigim go bhfuil eagla ort, a bhean uasal, ach ba mhaith liom cinntiú nach dtarlóidh sé arís. Níl a dhíth orm ach ráiteas uait agus dhéanfaidh mise an chuid eile.'

'Ní dhéanfaidh mé sin ná baol air! Tá mo shaol olc go leor gan níos mó trioblóide a tharraingt orm féin leis an amaidí seo. Anois, imigh leat, le do thoil! Má tá tú dáiríre faoi chuidiú liom, imeoidh tú láithreach ... le do thoil!'

'Ceart go leor, a bhean uasal. Má tá tú cinnte.'

'Tá, iomlán cinnte. Le do thoil!'

'Imeoidh, cinnte. Ach, má bhíonn trioblóid ar bith agat, le

duine ar bith, ná bíodh moill ort scairtigh orm ... am ar bith!'

D'imigh an sáirsint agus a dhrong leis. Dhruid Treasa an doras. Tháinig Padaí isteach sa tseomra suí agus d'amharc an bheirt ar a chéile go himníoch.

Ar Eagla na hEagla

Chuaigh cúpla bliain thart agus go fóill bhí daoine dá seachaint ar an tsráid agus páistí ag screadaigh uirthi ach ar an mheán ba chosúil go raibh an fuath a bhí uirthi sa phobal ag maolú agus ag dul i ndearmad. Thiocfadh Pádraigín chuici go rialta anois, uair sa tseachtain ar a laghad, agus mhothaigh Treasa suaimhneach agus láidir mar gur sheas sí an stoirm.

Ach is iomaí uair a shleamhnaigh an fharraige roimh stoirm. Bhí Treasa ag timireacht thart faoin teach nuair a chuala sí cnag ar an doras cúil. Ní thiocfadh go dtí an doras cúil ach Padaí de ghnáth. Rith sí síos staighre. Bhí Padaí sa chistin roimpi agus d'aithin Treasa go raibh scaoll air.

'A Threasa, caithfidh tú éisteacht liom anois gan ceist ar bith.'

Isteach sa tseomra suí leo agus chas Padaí: 'Suigh ansin ar an tolg, a thaisce.' Shuigh sí agus lean Padaí air: 'Anois, tá scéal agam duit, ach níor mhaith liom tú éirí róthógtha faoi, maith go leor?'

Bhí cruth agus caint Phadaí ag scanrú Threasa. 'Cad é a tharla, a Phadaí?' a d'éilligh sí.

Labhair sé go suaimhneach: 'Tógadh an fear óg.'

Stán Treasa air. D'aithin Padaí an dreach.

'An fear óg a chuidigh liom an poll a dhéanamh.'

'Foc!' ar sí.

'Anois, éist liom. Tá aithne mhaith agam ar an fhear óg seo agus tá mé cinnte nach ndéarfaidh sé rud ar bith. Is fear óg daingean diongbháilte é; ach mholfainn duit an oíche anocht a chaitheamh amuigh. Tógfaidh mise gach rud atá sa pholl anois láithreach. Má tá siad le theacht, beidh siad anseo go luath.'

'Níl mise ag dul áit ar bith, a Phadaí, fanfaidh mé sa teach.'

D'éirigh Treasa iontach féithchiúin, rud a chuir iontas uirthi. 'Glan thusa an dumpa amach anois agus fanfaidh mise anseo, má tá muinín agat as an fhear óg mar a deir tú, ní bheidh fadhb ar bith againn anocht.'

Dheifrigh Padaí isteach chun na cistine. Bhog sé an t-inneall níocháin go dtí lár an urláir agus thóg sé an clár sciorta. Bhí uirlis fhada ansin thíos faoi, barra miotail le ceann crúcach, a d'úsáid sé leis an chlár a thógáil. Chuidigh Treasa leis an t-ábhar a thógáil amach. Bhí gach rud i málaí móra agus iad trom ach bhí siad uilig réidh le tógáil ar shiúl láithreach.

D'amharc Padaí ar Threasa agus é ina sheasamh ag an doras cúil. 'Beidh tú i gceart. Ach, má thagann an drochuair, abair thusa leo gur bhagair muid seo ort nuair a thug tú an raidhfil ar ais do na póilíní an t-am sin agus nach raibh rogha ar bith agat, treisigh an bhagairt sin, bagairt bháis a bhí ann ... an dtuigeann tú mé, a Threasa?'

'Beidh mé i gceart. Imigh leat, a Phadaí. Imigh anois, ar eagla na heagla!'

D'imigh Padaí ina rith agus an mála deireanach gunnaí ar a dhroim aige, síos fríd an gharraí agus isteach go dtí an garraí faoi sin arís agus bhí sé ar shiúl. Dhruid sí an doras agus chuaigh ar ais isteach sa tseomra suí. Ní thiocfadh léi a thuigbheáil, ach ní raibh eagla uirthi mar a cheap sí a bheadh. Shuigh sí ar an chathaoir bhog. *Beidh oíche fhada agam anocht.* Chuir sí a cloigeann siar agus dhruid a cuid súl.

Mhúscail Treasa an mhaidin ina dhiaidh sin ag a seacht. *Cha dtáinig siad, is cosúil. Tá mé ag déanamh go raibh an ceart ag Padaí faoin fhear óg.* Mhothaigh sí faoiseamh, ach ba mhó ná sin an tsáimhe a bhí uirthi. *Tá mé tuirseach de seo uilig anois. Ba chuma liom sa tsioc aréir cad é a tharlódh, bealach amháin nó eile.* Chuaigh sí isteach sa chistin agus d'amharc ar an urlár. Bhí an t-inneall níocháin ar ais agus ní thabharfadh duine ar bith faoi deara go raibh aon rud as alt ansin. Rinne sí réidh cupán tae di féin agus sheas ag an doirteal gur ól sí é.

Seachtain ina dhiaidh sin a tháinig Padaí ar ais chuici. 'Scaoileadh an fear óg saor. Tá gach rud go maith, a thaisce … gach rud go maith!'

Tháinig draothadh beag gáire ar bhéal Threasa agus chroith sí a ceann in aonta. 'Ar mhaith leat cupán tae, a Phadaí?' a dúirt sí leis.

'Cad é mar tá an fear óg?' a d'fhiafraigh sí.

'Go maith … go maith ar fad. Sé, ólfaidh mé cupán tae, mura miste leat!'

'Ní iarrfainn ort mura raibh mé sásta a thabhairt duit ar an chéad dul síos, a Phadaí.'

Thuig Padaí an teachtaireacht agus d'aithin Treasa gur thuig.

Síocháin nó Síorchogaíocht

Chuaigh blianta thart gan ach mioneachtraí tarlú thall is

abhus. D'éirigh Treasa agus Pádraigín iontach mór le chéile le linn an ama sin agus thaitin a cuideachta go mór le Treasa. B'iontach le Treasa cad é mar a bhí an chéad éachtaint ar dhuine chomh contráilte, bean an-láidir ar fad a bhí i bPádraigín, nár throdach gan chúis í ar chor ar bith.

Thiocfadh Padaí go rialta le linn na mblianta sin chomh maith. Isteach an doras cúil i gcónaí. D'fhanfadh sé in amanna le comhrá beag a dhéanamh léi agus b'ionadh léi nach raibh aithne ar bith aici air in aon chor. Labhródh siad go minic ar an phróiseas síochána a bhí tosaithe agus na féidearthachtaí a bhain leis agus chaith siad uaireanta an chloig ag plé buntáistí agus míbhuntáistí an phróisis chéanna. D'aontaigh siad beirt ar rud amháin, nach dtiocfadh leis a theacht gasta go leor!

Tháinig Padaí isteach sa teach lá agus é an-tógtha. 'Tá na cainteanna tosaithe!' a dúirt sé agus aoibh an gháire air. 'Ní chreidim é ach tá siad tosaithe. Beidh deireadh leis seo gan mhoill. An dtuigeann tú cad é a chiallaíonn sé sin?' Níor thug sé an t-am di freagra a thabhairt: 'Go mbeidh deireadh leis seo uilig, an dumpa, an bhagairt uilig, beidh muid uilig saor le saol a chaitheamh arís.'

'Sílim féin é, a Phadaí, sílim go bhfuil an ceart agat … ach cá huair?'

'Táthar ag caint cheana féin ar na gunnaí uilig a thabhairt chuig na mórdhumpaí agus á gcur thar úsáid. Tarlóidh sé gan mhoill, seachtainí b'fhéidir!'

'Ar dóigh, ar dóigh ar fad!' a scread Treasa agus í ag léimtí san aer. 'Fuist, fuist! Ná cluineadh na comharsanaigh muid i ndiaidh na mblianta seo uilig.'

Bealtaine 1998

Bhí reifreann ar an dá thaobh den teorainn agus glacadh le Comhaontú Aoine an Chéasta. Bhí Padaí ag teacht agus ag imeacht mar ba ghnách, ach seachtain i ndiaidh an reifrinn tháinig sé agus an fear óg leis.

'Beidh d'urlár ar ais mar a bhí sula dtáinig muid isteach i do theach ariamh,' arsa Padaí go réchúiseach. Bhris ollgháire ar a aghaidh. 'Tá deireadh leis, a thaisce. Tá sé thart!'

Chroith an fear óg lámh le Treasa agus ghabh sé a bhuíochas féin léi.

'Séamus Óg atá ormsa, dála an scéil, Séamus Óg Mac an tSaoir. Maith domh ainm bréagach a thabhairt duit, chan nach raibh muinín agam asat, a mhalairt ar fad, a Threasa. Bhí mé go díreach ag iarraidh é a rá leat cá bith.'

Chroith sí lámh leis go croíúil agus gáire mór ar a béal.

Chríochnaigh siad beirt an obair taobh istigh de chúpla lá. Bhí sé cosúil le hurlár úr sa chistin anois. 'Má tá aon rud a dhíth ort go deo, a bhean Uí Dhónaill, ná bíodh leisce ort dul i dteagmháil liom ... rud ar bith!' a gheall an fear óg di.

'Go raibh míle maith agat, a Shéamuis ... Óig,' a dúirt sí agus iad ag scaradh ag an doras cúil don am dheireanach. Sheas Padaí ansin agus d'fhoscail sé amach a lámha ag iarraidh uirthi barróg a thabhairt dó. Thug sí croí mór isteach dó agus ba rí-léir ón chroí isteach sin go raibh rud ar leith tagtha chun deirí.

'Éist, a Threasa. Ba chóir domh féin a rá leat fiche uair roimhe seo; ach is tú an duine is cróga dár bhuail mé léi ariamh. Mo mhairg nach mbeidh a fhios ag duine ar bith sa tsaol seo cad é a rinne tú; cad é a d'fhulaing tú ar son na cúise, a stór, agus an dóigh ar chaith do phobalsa leat ach go háirithe. Bhí mé ag iarraidh sin a rá leat le tamall fada, a Threasa.'

'Cróga mo thóin! Nach cuimhin leat na hoícheanta sin a chaith mé ag caoineadh uisce mo chinn i ngach coirnéal den teach?'

'Sé, ach níor bhris tú, a Threasa. D'fhéadfá iarraidh orm gach rud a thabhairt liom as do theach ach níor iarr.'

'Sé, ach cad é a bheadh agam inniu? Bheadh fuath an phobail orm go fóill ach gan sólás ar bith agam go dtearn mé rud ar bith fiúntach le mo shaol.'

D'ísligh sí a glór. 'Creid uaim é, a Phadaí, is cuma liom sa tsioc nach raibh a fhios ag mo chomharsanaigh agus nach mbeidh a fhios acu go deo! D'athraigh seo uilig mé, a Phadaí, an poll sin sa chistin! Ní aithneodh duine ar bith mé níos mó! D'fhás mé aníos, tá mé níos aibí, níos ciallmhaire agus ní tharlódh sin ach ab é an poll sin agus na rudaí a d'fhulaing mé leis na blianta. Ná creid gur ar son na cúise a rinne mé é, i bhfad as. In éadan mo mháthara agus dearcadh righin s'aici. Níor labhair sí liom ó phós mé Micí, tá a fhios agat; agus níor dhúirt mise léi gur scar muid ach an oiread.

'Agus in éadan Mhicí chomh maith; scrios Dé, ní chreidim go fóill go raibh eagla mo choirp ormsa roimhe le blianta. Bhí mo chúiseanna féin agam, a Phadaí!' Chlaon sí a ceann. 'Anois, agus é i ngar a bheith thart, ní bródúil atá mé ach sásta liom féin; cinneadh s'agam féin a bhí ann agus mo chúiseanna féin a bhí agam. Beidh mise i gceart anois, a Phadaí; thig liomsa glacadh le rud ar bith a chaitheann an saol seo chugam, a bhuí leatsa go pointe, ach a bhuí leis an pholl sin a bhí i mo chistin den chuid is mó. Coinnigh i dteagmháil liom, a Phadaí, agus ar ndóigh, as seo amach, tá cead agat a theacht ag an doras tosaigh.'

'Beidh i gcónaí, a thaisce, ná bí thusa buartha faoi sin, geallaim duit. Agus is cuma cad é ba chúis leis, rinne tú é.'

'Rinne, a Phadaí, agus anois tá an poll sin líonta!'

Gobnait (Banríon na Muilte)

An Oifig Leasa Shóisialaigh

Bhí Gobnait mall, mar is gnách, nuair a shuigh sí os comhair an oifigigh san Oifig Leasa Shóisialaigh.

Ba léir an drochspionn ar an oifigeach.

'A Ghobnait, a bhean, is léir nach raibh tú ag lorg oibre: níl fianaise ar bith agat. Ní thig linn an t-airgead a thabhairt duit mura mbíonn tú ag lorg oibre.'

'Tchím,' arsa Gobnait agus cuid den tarcaisne ina glór. 'An bhfuil obair ar bith ag dul san oifig seo?'

'Níl, ar chor ar bith!' arsa an t-oifigeach.

'Bhuel, sin agat an fhianaise. Cuir sin síos i d'fhoirm!'

Gobnait agus an Poncánach

Bhí Gobnait i lár an bhaile i mBéal Feirste lá amháin ag déanamh siopadóireacht súl, nuair a stop coimhthíoch í.

'Gabh mo leithscéal, a bhean uasal, ach ar mhiste leat mé a chur i dtreo an Iarthair, le do thoil?'

D'aithin sí óna bhlas gur Poncánach é.

'Á, i dtreo an Iarthair Fhiáin! Cinnte!' ar sí, agus dhírigh a méar i dtreo an iarthair.

'Ach,' ar sí, 'bíodh a fhios agat, a phlandóir, go bhfuil clú na barbarthachta ar na dúchasaigh san Iarthar sin chomh maith!'

Cad chuige a gcaithfidh mé dul ar scoil?

Bhí iníon ag Gobnait darb ainm di Bláthnaid. Agus níor dhúirt Bláthnaid aon rud róchiallmhar go raibh sí deas do chúig bliana d'aois.

'A mhamaí,' ar sí an lá sin, 'cad chuige a gcaithfidh mé dul ar scoil?'

D'amharc Gobnait ar a hiníon leanbaí: 'A Bhláthnaid, a stór, nach tú atá soineanta. Cad é mar is féidir leat a rá nár fhoghlaim tú rud ar bith ar scoil, gan a dhul ar scoil?'

Teach an phobail

Bhí Gobnait agus Bláthnaid sa teach pobail an lá seo, rud ab annamh, ach bhí duine dá muintir le pósadh agus ní raibh seachaint air. Cuireadh bail úr ar an eaglais le tamall anuas agus Gobnait ag caitheamh súl ar dhea-chuma na háite.

'Nach bhfuil cuma an-mhaith ar cró na gcaorach inniu, a thaisce! ar sí.'

Gobnait ag dul amach

Bhí Gobnait ag déanamh réidh le dul amach an oíche seo agus a hiníon Bláthnaid ina suí ag amharc uirthi. Chuir Gobnait cíochbheart uirthi féin a thóg agus a bhrúigh a cíocha amach as a gúna.

'A mhamaí,' arsa Bláthnaid, 'cad chuige a gcuireann tú an cíochbheart sin ort? Nach mbíonn gach duine ag amharc ort?'

'Is tú atá soineanta, a thaisce. Nuair a chuirim an cíochbheart seo orm, cuireann sé dallamullóg ar na fir!'

Gobnait ag an dochtúir

Bhí Gobnait agus a cara i seomra feithimh an dochtúra an

lá seo agus iad ag cúlchaint ar gach duine faoin spéir, nuair a thug Gobnait faoi deara go raibh bean taobh thiar dóibh ag cúléisteacht leis an chomhrá.

'Tá poll ar an teach,' arsa Gobnait, agus d'amharc siad thart ar an bhean go samhnasach. 'Níl ach rud amháin níos measa ná an chúlchaint,' arsa Gobnait.

'Cad é sin, a Ghobnait?' arsa a cara.

'Cúléisteacht le cúlchaint!'

Gobnait agus an dochtúir

Bhí Gobnait istigh leis an dochtúir.

'Cad é atá contráilte leat, a Ghobnait?' a d'fhiafraigh sé.

'Bhuel, tá a fhios agat, a dhochtúir,' a dúirt Gobnait go cúthalach.

'Níl a fhios … abair amach é!' ar sé.

'Tá a fhios agat … fadhbanna na mban!'

'Níl a fhios agam go díreach cad é a chiallaíonn fadhbanna na mban. Cad é an bhrí atá leis, a bhean uasal?'

'Ag labhairt le dochtúir fir faoi fhadhbanna na mban!'

Gobnait sa tacsaí

Bhí Gobnait ag dul amach an oíche seo agus tacsaí faighte aici go lár an bhaile. Labhair fear an tacsaí: 'Bhuel, a Ghobnait, caithfidh mé a rá go bhfuil cuma mhaith ort anocht!'

'Dúirt tú sin an t-am deireanach.'

'Agus bhí dóigh mhaith an oíche sin ort chomh maith,' ar seisean.

'Bhuel anois', arsa Gobnait, 'agus an bhfuil a fhios agat cad é a chiallaíonn sin?'

'Go mbíonn cuma mhaith ort i gcónaí, a stór!'

'Ní hé!' Thóg Gobnait an briseadh. 'Ach nach seo an tacsaí a bheir chun an bhaile mé!'

An cuntasóir

Bhí Gobnait sa chistin ag ní na soithí nuair a phill Bláthnaid ón scoil.

'Maith an cailín thú, a Bhláthnaid. Cad é a d'fhoghlaim tú ar scoil inniu?'

'Bhí muid ag dul don mhatamaitic, a mhamaí, agus, an bhfuil a fhios agat, ní thuigim é ar chor ar bith. Cad é mar a bheadh an cineál sin comhairimh a dhíth ormsa go deo?'

'Bhuel, a thaisce, tá cúis leis … go mbeidh tú ábalta a laghad a thuilleann tú as do shaothar a chuntas!'

An teilifís

Bhí Bláthnaid ina suí ag amharc ar an teilifís nuair a shiúil Gobnait isteach.

'Bhuel, a stóirín, deir daoine gur scáthán an tsaoil í an teilifís. Ach, sa lá atá inniu ann, a mhalairt ar fad atá fíor. Is scáthán na teilifíse é an saol!'

Ag imeacht le sruth

Bhí Gobnait agus a cara amuigh sa chlub an oíche seo agus cúpla deoch á n-ól acu. Thiontaigh a cara léi agus dúirt: 'A Ghobnait, a stór, tá fear óg álainn thall sa choirnéal ag amharc anall orainn an oíche ar fad.'

'Amharcadh sé más maith leis, a stór, ach ná ligfeadh sé a mhaide le gabhalsruth.

Cairdeas

Bhí Gobnait agus a cara amuigh sa bheár an lá seo, nuair a thóg a cara an cheist:

'A Ghobnait, an mise do chara is fearr?'

'Is tú mo chara is fearr, go rachaidh ar an airgead!'

An t-iarfhear

Bhí Gobnait sa bheár an oíche seo nuair a thug sí faoi deara a hiarfhear ina shuí sa choirnéal le bean úr. Siúlann sí chucu.

'Nach dtiocfadh leat níos fearr ná seo a dhéanamh?' ar sí.

Léim an fear ina sheasamh. 'Ná labhair ar mo bhean mar sin!'

'Ní ag labhairt uirthi a bhí mé, ach ag labhairt léi!'

Amadán nó óinseach

Bhí Gobnait agus Bláthnaid ina suí sa teach lá amháin nuair a d'fhiafraigh Bláthnaid: 'A mhamaí, cad chuige nach bhfuil athair agam?'

'A thaisce, cuirfidh mé mar seo é: más amadán an fear céile, is óinseach an bhean chéile. Níl aon amadán sa teach seo!'

Gobnait sa chógaslann

Bhí Gobnait agus a cara ag caint lá.

'Cad é mar tá an jab úr sa chógaslann, a Ghobnait?'

'Briseadh as mé, a stór.'

'Cad chuige?'

'Tháinig fear óg álainn isteach le coiscíní a cheannacht lá agus arsa mise leis: "Tá dhá mhéid againn, beag agus mór. Cé acu atá uait?"'

'Sheas sé ansin ag smaointiú gur dhúirt sé: "Níl a fhios agam go fírinneach."'

'"Bhuel," arsa mise, "gabh isteach anseo ar chúl liom go ndéanfaidh muid é a thomhas!"'

Múinteoir gairmthreorach

Tháinig Bláthnaid chun an bhaile ón scoil an lá seo agus Gobnait sa chistin ag obair mar is gnách.

'Cad é mar a bhí an scoil inniu, a thaisce?' ar sí lena hiníon.

'Bhí múinteoir gairmthreorach istigh againn inniu ag caint ar phostanna agus....'

Ghearr Gobnait isteach ar an chomhrá: 'An fear nó bean a bhí ann?'

'Fear,' arsa Bláthnaid.

'Ná héist le rud ar bith a deir seisean leat, a thaisce. Níor fhulaing seisean rud ar bith go fóill!'

An grá

Tháinig cara le Gobnait isteach sa teach an lá seo ag iarraidh comhairle.

'A Ghobnait, a chara, tá comhairle uaim.'

'Cad é do chás, a stór?' arsa Gobnait léi.

'Níl a fhios agam cad é a dhéanfaidh mé, a Ghobnait, ach tá an boc óg seo i mo dhiaidh agus tá sé dúnta i ngrá liom.'

'Agus cad é a shíleann tusa, a chara liom?' arsa Gobnait.

'Bhuel, is maith liom é...!'

'Tchím ... más maith leat an duine a bhfuil grá aige duit, tá leat. Ach, más grá leat an té a bhfuil grá aige duit, beidh leat!'

Máthair Ghobnait

Bhí máthair Ghobnait ar cuairt aici lá: 'Cad é mar tá Bláthnaid ag déanamh ar scoil, a Ghobnait?'

'A mháthair,' ar sise, 'cad é an freagra a thug tusa do do mhamaí féin nuair a d'fhiafraigh sí fúmsa?'

'Ó, dúirt mé i gcónaí go raibh tú ag déanamh go maith.'

'Dhéanfaidh sin cúis, mar sin de!'

Róshean

Bhí Gobnait agus a cara amuigh ag ól cúpla deoch oíche amháin, nuair a d'aithin Gobnait fear óg dóighiúil ina shuí ag an bheár.

'Ó,' ar sí lena cara, 'tá fear álainn ag an bheár ansin thall, sílim go ndéanfaidh mé iarracht é a mhealladh.'

Thiontaigh a cara thart chuici agus dúirt: ' A Ghobnait, a chroí, nach síleann tú go bhfuil tú róshean ag an fhear óg sin?'

'Is cuma cad é a shílimse, chomh fada is nach síleann seisean é!'

An toicí

Bhí Gobnait agus Bláthnaid ina suí sa teach an lá seo, nuair a thug Gobnait faoi deara an toicí seo ag teacht chuig an doras ar lorg íocaíochta.

'A Bhláthnaid, a stór, gabh amach chuig an doras agus abair leis an toicí nach bhfuil do mhamaí fá theach.'

Chuaigh Bláthnaid amach: 'Níl mo mhamaí fá theach, a dhuine uasail.'

'Ach chonaic mé í isteach fríd an fhuinneog, a stór.'

Ar chluinstin seo le Gobnait, rith sí amach chuig an doras: 'An ag déanamh bréagach do m'iníon atá tú?'

An fhuáil

Bhí Gobnait ina suí ar an tolg ag cur fáithime le gúna Bhláthnaide, nuair a d'fhiafraigh Bláthnaid di: 'A mhamaí, cár fhoghlaim tú an fhuáil?'

'Ó, a stóirín,' ar sí, 'd'fhoghlaim mé an fhuáil ar ghlúin mo mháthara, áit ar fhoghlaim mé a lán rudaí.'

D'amharc Bláthnaid uirthi arís agus dúirt: 'Bhuel, a mhamaí, cad chuige nach bhfuair tú jab ag dul don fhuáil?'

'Bhuel, a thaisce,' arsa Gobnait lena hiníon, 'Bhí mé rófhalsa, déanta na fírinne.'

'Cár fhoghlaim tú sin, a mhamaí?'

'Ó, a ghrá mo chroí, b'ar ghlúin m'athara a d'fhoghlaim mé sin!'

An locht

Bhí Gobnait agus a comhghleacaí ag obair sa bheár lá amháin agus iad ag amharc ar na fir uilig a bhí istigh an lá sin, nuair a chuir a cara ceist uirthi: 'A Ghobnait, cad é an difear is mó idir fir agus mná, i do bharúil?'

Rinne Gobnait machnamh ar an cheist tamaillín sular fhreagair sí.

'Bhuel, a stór, is í mo thuairim féin gur chothaigh na fir cultúr an lochta, agus gur fhulaing na mná é ó shin!'

An guthán

Bhí tréimhse bheag ann nuair a bhí Gobnait ag obair mar ghuthánaí ag díol árachais thar an ghuthán. An lá seo, tháinig scairt isteach ó fhear ag lorg árachais.

'Maidin mhaith, a dhuine uasail,' arsa Gobnait leis, 'agus cad é is féidir liom a dhéanamh duit?'

'Tá árachas a dhíth orm don charr, an dtabharfá praghas domh, le do thoil?'

I ndiaidh do Ghobnait praghsanna a thabhairt don fhear, léirigh sé amhras: 'Tá sé rud beag daor nach bhfuil? Abair seo liom, an gceannófá féin árachas ón chomhlacht seo?'

'Ní cheannóinn!' a d'fhreagair Gobnait go gonta.

'Ní cheannófá féin árachas uathu ach seo tú ag iarraidh ormsa é a cheannacht?'

'Cinnte,' arsa Gobnait. 'Níl carr ar bith agam!'

Rogha an dá thine

Bhí Gobnait agus a cara amuigh an oíche seo agus ba léir go raibh fear sa tóir ar Ghobnait.

'Cé acu fear é?' a d'fhiafraigh Gobnait dá cara.

'An duine mór iomálainn sin ina sheasamh ag an bheár. Dúirt sé liom go dtabharfadh sé oíche go maidin duit dá mba mhaith leat é, a Ghobnait,' agus comhartha an éada ar a cuid cainte.

'Níl suim dá laghad agam ann,' arsa Gobnait go binbeach. 'Déanann sé gach rud ar a theanga!'

Rudaí fearúla

Tháinig Bláthnaid isteach sa teach an lá seo agus í ag gol.

'Cad é an tubaiste a tharla duitse, a thaisce?' arsa Gobnait léi le himní.

Nuair a shocraigh Bláthnaid, d'inis sí an scéal dá máthair: 'Tá marfach amuigh, a mhamaí. Tá beirt fhear ar an tsráid ag troid faoi bhratach a crochadh ar an chuaille solais.'

'Tchím, a thaisce, ná bac thusa leo, níl ann ach fir ag troid faoi rudaí fearúla. Níl inti mar bhratach ach dallóg na céille!'

Idir fhir agus mhná
'Cad chuige a dtéann tú amach le fir agus mná?' a d'fhiafraigh Bláthnaid dá máthair.

'Ar eagla na fala thuas, a stór. Ar eagla na fala thuas!'

Leannán luí
Bhí Gobnait agus fear ag déanamh achrainn an oíche seo.

'Dúirt tú go raibh grá agat domh, ná séan é, a Ghobnait, dúirt tú sin liom.'

'B'fhéidir gur dhúirt ach ba ráiteas ar chúis aiféala é, a stócaigh.'

'Caimiléireacht ar m'iontaoibh a bhí tú.' Agus fríd rabharta deor dúirt sé: 'Níor thacht an bhréag ariamh thú, a Ghobnait.'

'Is cinnte nár thacht ach shlog tusa d'aon ailp amháin í!'

Pósadh
Cuireadh ceist ar Ghobnait lá amháin.

'A Ghobnait, a stór, cad chuige nár phós tú ariamh?'

D'fhreagair sí lom láithreach: 'Bhí mo thuismitheoirí pósta, ba leor sin den phósadh i mo shaolsa!'

Cearta na mban
'Tá tóraíocht ar chearta na mban i saol seo na bhfear. Bhuel, is ag fadú tine faoi loch atá muid.'

An ceol

Bhí Bláthnaid ag éisteacht le ceol ar an raidió an lá seo nuair a d'fhiafraigh sí dá máthair: 'Cén t-amhrán is fearr leat, a mham?'

'Cá bith amhrán a chuireann gliondar orm ag an am, a thaisce.'

'Ach nach bhfuil amhrán ar bith ar leith ar maith leat?'

'Fiche amhrán agus amhrán ar bith, a stór. Is ann don cheol le do chroí a thógáil nó a shuaimhniú agus is ansa liom gach amhrán a dhéanann sin!'

Comhairle phósta

Bhí Gobnait agus Bláthnaid ina suí ag an tábla lá ag caint ar an phósadh, nuair a dúirt Bláthnaid léi: 'Ba bhreá liom titim i ngrá le fear dóighiúil agus an saol a chaitheamh le chéile leis gan bhuaireamh arís go deo.'

D'amharc Gobnait uirthi go hamhrasach agus dúirt: 'A stóirín mo chroí, ná héist leat féin in ainm Chroim. Tóg an chomhairle a chuir mo mháthair féin ormsa agus mé óg agus amaideach. Ar sise liom: "Ná pós an fear a bhfuil grá agat dó ach pós an fear a bhfuil grá aige duit. Is féidir an fear sin a chrá go brách agus ní fhágfaidh sé thú go deo!"'

Sonas

Bhí cuma ghruama ar Bhláthnaid ar theacht chun an bhaile ón scoil di agus d'fhiafraigh Gobnait cad é a bhí ag cur as di.

'Thit mé amach le mo chara ar scoil inniu nuair a bhí sí ag magadh faoi dhath mo chuid gruaige.'

'Tchím,' arsa Gobnait, 'bhuel, a stór, abair seo liom, an tú féin atá i gcionn do chuid sonais nó do chara?'

D'amharc Bláthnaid uirthi agus í fríd a chéile.

'A stór mo chroí, tá do shonas agus d'aoibhneas faoi do chúram féin, ach má scaoileann tú an cúram sin le duine eile, is tú féin amháin a bheas faoi ghruaim.'

PÓL

Bealtaine 1988

Seo nuacht a seacht ar Raidió Uladh ... agus príomhscéal na maidine: Dúirt na póilíní gur ionsaí brúidiúil seicteach a bhí ann go luath ar maidin i dtuaisceart Bhéal Feirste nuair a maraíodh fear óg Protastúnach in ionsaí néaltraithe. Bhí sé aon bhliain is fiche d'aois. Creideann siad go dtearnadh an t-ionsaí mar dhíoltas ar ionsaí a rinneadh ar Chaitliceach sa cheantar chéanna cúpla oíche roimhe. Deir na póilíní go bhfuil líne cinnte fiosraithe acu sa chás. Mhínigh bleachtaire atá i gcionn an cháis gur fhág an fear óg a chailín ag a dó ar maidin le dul abhaile; bhí sé 500 slat óna theach cónaithe nuair a ionsaíodh é. Dúirt an bleachtaire go gcreideann sé gur cuid de bhabhta díoltais é atá faoi lánseol agus nach bhfeiceann siad deireadh leis go luath. Chuir sé rabhadh ar dhaoine gan dul amach leo féin san oíche.

Márta 1987

Sheas Pól ag an scáthán, ag amharc ar a dhealramh. *Foirfe!* Bhí na héadaí uilig néata glan agus gan fiú an rocán is lú le feiceáil iontu. Bhí Pól gléasta go slachtmhar i gcónaí, ach inniu, chuaigh sé céim níos faide. Tháinig draothadh gáire air. *Foirfe, foirfe!*

Bhí a chuid gruaige bearrtha go bláfar agus go teann. Bhí na bróga ruithneach snasta. Bhí fithín ina bhríste a bhí chomh géar le lann agus ní raibh oiread agus fliosca clúmhaigh ar a chasóg. Casóg úr a raibh dath buidéalghlas uirthi. Bhí neart stailce curtha ar bhóna a léine bháine agus carbhat úllghlas ceangailte go slachtmhar ar a mhuineál.

Tchífidh siad anois. Shíl gach duine ariamh nach bpósfainn, m'athair ach go háirithe, ach tchífidh siad anois. Níor aithin siad ariamh mé; cé gur shíl siad uilig gur aithin.

Shiúil sé síos staighre, isteach sa tseomra suí, agus chaith a lámha amach amhail is a rá: 'Amharc ormsa!' D'amharc. A mháthair; a dheirfiúr, Cáit; agus an t-aon chara amháin a bhí aige, Liam Ó Dochartaigh. Rinneadh fuaimeanna éagsúla; gach cineál 'ú' agus 'á', ach gach ceann ag deimhniú, a shíl sé féin, go raibh cuma ghalánta air.

Sheas a mháthair, a lámha foscailte amach roimpi: 'Goitse, a mhaicín. Goitse agus tabhair croí isteach domh.' D'fháisc sí isteach lena brollach go teann é. 'Bheadh d'athair an-bhródúil asat inniu a mhaicín.' Tharraing sé siar uaithi.

Bhí a mháthair iontach bródúil as a mac. Déanta na fírinne, ba dhuine de na daoine í a shíl ariamh nach bpósfadh sé go deo, ach anois, ba mhó ná sásta a bhí sí a bheith contráilte. Taobh amuigh de Phól féin, ba í an t-aon duine eile a bhí chomh sásta an lá sin a cheiliúradh lena mac.

'Coimhéad an chasóg, a mhamaí,' ar sé, idir ghreann agus dáiríreacht. ''Bhfuil an carr anseo go fóill?' Dhírigh sé an cheist ar Liam.

'Tá cinnte. Ag an doras ag fanacht. An bhfuil tú réidh le himeacht?' Chuir Liam an cheist go measúil: níor cheistigh sé Pól ariamh ach go measúil.

Mhaígh a ghean gáire ar Phól: 'Rugadh réidh mé, a Liam. Beidh gach rud foirfe. Goitse liom anois, m'fhinné fir. Ar

shíl tú ariamh go bhfaighfeá jab chomh tábhachtach seo?'
Níor fhan sé le freagra. 'Rachaidh muidne ar aghaidh ar
tús.' Thiontaigh sé chuig a mháthair. 'Gheobhaidh sibhse
an dara carr agus tchífidh muid ag an eaglais sibh. Ná bígí
mall!'

Shuigh Pól agus Liam i gcúl an chairr mhóir, Pól sa
tsuíochán cúil agus Liam os a chomhair amach. D'amharc
Pól air le déistin: 'Bhí a fhios agam go dtiocfadh an lá seo,
a Liam. Bhí mé iomlán cinnte de agus, mar is eol duit, rud
ar bith a mbímse cinnte de, tarlaíonn sé. Bhí siad uilig
cinnte nach dtarlódh sé, mo theaghlach ... fiú mo mháthair.
Bhí an bhitseach eile sin ag spochadh asam i dtólamh, agus
m'uncail ... bhíodh sé ag magadh fúm, ag maíomh go
mb'fhéidir gur lúbadán mé. Samhlaigh sin, a Liam, mise i
mo phiteog! Mise ... i mo phiteog. Beidh scaoileadh an tsíl
fhearga ann anocht, a Liam. Tchífidh siad amach anseo!'

Nocht aghaidh Liam go raibh a sháigh iontais air. Níor
labhair Pól leis mar sin ariamh roimhe, amhail is gur
neimheadh é anois i saol Phóil. Ní raibh sé sin fíor ar
ndóigh, a mhalairt ar fad, ní raibh Pól ach ag labhairt os ard
leis féin. Bhí dul amú ar Liam, mar is gnách.

Duine beag é Liam, ar gach dóigh. Cúig troithe agus aon
orlach amháin ar airde: níor fhág sé an t-orlach sin ar lár
ariamh. Bhí sé tríocha seacht bliain d'aois, cúig bliana ní ba
shine ná Pól, ach amháin go raibh an t-údarás uilig ag Pól.
Bhí an bhlagaid ar Liam ó bhí sé sna fichidí agus chíor sé a
chuid gruaige ón chúl go dtí an tosach. D'úsáid sé glóthach
ghruaige lena greamú do bharr a chinn. Duine marógach a
bhí ann, agus sin mar a bhí sé ó thús a shaoil. 'Shílfeá gur
mhó a d'fhás tú amach ná suas!' a déarfadh Pól leis i gcónaí.

Bhí Liam ina chónaí lena sheanmháthair ó bhí sé ina dhéagóir. Chinn a thuismitheoirí gur sin mar ab fhearr do gach duine. Bhí an tseanbhean tinn san am agus ba léir go raibh cúram a dhíth uirthi. Tháinig meathlú uirthi le cúpla bliain anuas. Liam amháin a bhí ann leis an chúram cheart a thabhairt di. Ba í an t-aon bhean a raibh dáimh aige léi ariamh agus ba léir go raibh buaireamh air nach mairfeadh sí rófhada. Ba chuma leis an chuid eile dá theaghlach cad é a tharla di nó dó, rud a d'fhoilsigh sé do Phól go minic. Ní raibh mórán de theagmháil aige lena theaghlach níos mó agus sin mar ab fhearr leis é.

Chaithfeadh sé mórán ama ag an leabharlann, áit ar bhuail sé le Pól. Thug sé faoi deara Pól ag léamh irisí Coirscéalta Fírinneacha, irisí a thaitin go mór leis féin, agus bhaileodh sé na cinn a bhí aige féin sa teach le tabhairt do Phól.

'Gabh mo leithscéal,' a dúirt sé an lá sin, 'ar léigh tú an t-eagrán seo go fóill?' Sméid sé i dtreo na hirise a bhí ina luí ar an tábla roimh Phól. 'Tá mol mór acu agam féin, atá léite anois, más maith leat iad!' D'amharc Pól air go hamhrasach ach cheap sé nach ndéanfadh sé dochar ar bith. *Má tá gamal inteacht sásta a chuid irisí a thabhairt domhsa saor in aisce, bíodh aige.* D'aithin Pól go raibh fadhb de chineál inteacht ag an bhoc seo, nó mar a deireadh a mháthair: 'Is duine beag le Dia é Liam!'

'Ceart go leor,' arsa Pól go cabanta. Dar leis nach raibh cara ar bith ag Liam. Ba mhinic a chonaic Pól é sa leabharlann. Ón lá sin amach, leanfadh Liam thart é go lústrach.

B'airde Pól ná Liam agus colainn bhreá aclaí aige, cé nár chleacht sé aon spórt. Shiúlfadh sé go minic agus go gasta agus dhéanfadh sé go leor lúthaíochta ina sheomra leapa. Bhí folt tiubh gruaige donnfhionn aige agus dar leis féin go raibh sé dóighiúil. Ní raibh a dheirfiúr chomh moltach sin faoi. Dúirt sise ariamh go raibh cuma air go raibh rinn dhearg sáite ina thóin. Bhí an dúfhuath aige uirthi agus b'annamh a labhair sí leis ar chor ar bith. Níor labhair Pól léi. Níor thuill sí ariamh a chomhluadar, dar leis.

Stop an carr taobh amuigh de gheaftaí na cathrach agus shiúil siad an dá chéad slat go dtí an eaglais. Eaglais bheag ar imeall lár na cathrach í. Thaitin sé go mór leis go bhfeicfeadh daoine an pósadh; níor bhain sé leo, agus níor chuir Pól cuireadh ach ar Liam, ach bheadh a fhios acu uilig go léir. A mháthair a chuir cuireadh ar na daoine eile sa teaghlach.

'Siúil thusa go díreach i mo dhiaidh anois, a Liam, agus nuair a bheas muid istigh, seasfaidh tú ar thaobh mo láimhe deise. An dtuigeann tú sin?'

'Tuigim.'

Shiúil siad isteach, Liam sna sála ar Phól agus ag luas a bhí rud beag róghasta dá chosa. Bhí a chulaith féin ar Liam agus ba léir go raibh sé aige le blianta.

'Sin an t-aon chulaith atá agat, tá mé ag déanamh!' Chroith Pól a cheann, ag léiriú a dhobhuíochais.

Sheas siad beirt thuas ar an altóir ag fanacht leis an bhrídeog. Bhí siad i bhfad róluath, ar ndóigh, bhí breis agus uair an chloig go fóill go ham Aifrinn. Ní raibh oiread agus duine amháin eile san eaglais. Ní bheadh ann ach thart ar thríocha duine ar fad; seisear ó thaobh s'aigesean agus an chuid eile ó thaobh na brídeoige.

Alison Bishop, bean dhóighiúil go maith í. Bhuail Pól léi

ag ionad traenála agus é ag dul de chúrsa mótarmheicneoir-
eachta. Ba nós leis cúrsaí de gach cineál a dhéanamh:
adhmadóireacht, gaibhneoireacht, meicneoireacht, agus
cúrsaí eile lena gcois. Thaitin sé go mór leis a bheith níos
cliste ná gach duine eile.

Ba dhuine milisbhriathrach é, cé go raibh fuath aige ar
gach duine. Sin mar a mheall sé Alison, bean óg a bhí an-
deas in amharc súl, dar leis. Bhí sé ariamh in ann iallach a chur
ar dhaoine áirithe, daoine dímheabhracha ach go háirithe.

Níor bhac sé le daoine eile san ionad traenála, nó bhí sé
ró-éirimiúil d'aon duine eile san áit sin. Chruthaigh sé a
chlisteacht acadúil ar scoil roimhe sin agus rinne sé arís é ar
na cúrsaí. Ba é an rud a mheall Alison chuige nó go raibh sí
an-ard agus an-chiotach. D'aithin sé láithreach gur
náireachán í, rud a thaitin go mór leis. Rinne Pól éifeacht
shonrach cuidiú le hAlison leis an oiread lámhfhreastail a
dhéanfadh sé uirthi, nó d'aithin sé go raibh teip inteacht
uirthi a dtiocfadh leis leas a bhaint as le hí a stiúradh mar
ba mhaith leis.

Ní raibh sí cleachta le salachar na hoibre ná le huirlisí
den chineál sin ach an oiread. Mhínigh sí do Phól gur iarr
a hathair uirthi rud beag a fhoghlaim faoi charranna sula
gceannódh sé ceann di, agus sin an fáth ar fhreastail sí ar an
chúrsa. Faoi dheireadh an chúrsa, mheabhlaigh sé í lena
éirimiúlacht, lena chumas agus lena aire. Leanfadh sí thart
é sa deireadh thall, mórán mar a lean Liam é.

Níor bhuail sé le tuismitheoirí Alison ach go hannamh.
Níor thaitin siad leis, a máthair ach go háirithe. Sheachain
sé iad den chuid is mó agus bhí an pósadh beagnach
socraithe nuair a chuaigh sé chucu. Bhí siad thar a bheith

sásta ar an chéad dul síos. Bhí Alison tríocha anois agus chomh cúlánta gur chreid siadsan nach bpósfadh sí duine ar bith go deo. D'aontaigh siad leis an phósadh láithreach bonn. Ach, ina dhiaidh sin amach, nuair a bhuail siad le Pól rud beag ní ba mhinice, d'fhéadfá a rá go dtáinig amhras orthu faoin chaidreamh agus an tionchar ceannasach a bhí ag Pól uirthi; ach níor lig a nádúr dóibh iad a scaradh.

Tháinig máthair Phóil agus a dheirfiúr, Cáit, isteach san eaglais agus shuigh siad ar thaobh na láimhe deise. Tháinig deartháir a athara chomh maith, Mícheál, agus a bhean. Bhí cónaí ar Mhícheál faoin tuath, cóngarach do Bhaile na hArda. Ba ghnách leis a theacht go Béal Feirste gach seachtain le dinnéar a chaitheamh leo agus bheadh an rámhaille céanna leis i gcónaí faoina thréimhse san RUC agus neamhéifeacht na heagraíochta sin. Ach, anois agus bean aige, cha dtáinig sé ach go hannamh. Chaith sé bunús an ama lena bhean na laetha seo.

'Mo mháthair a thug cuireadh dó, móide a haon. Tá súil agam go n-imeoidh sé i ndiaidh an dinnéir,' a d'fhógair sé do Liam gan choinne.

Chaith Mícheál fiche bliain ina phóilín san RUC agus anois bhí sé i bhfolach faoin tuath ón mharfach uilig a bhí ag dul ar aghaidh sna Sé Chontae. Thapaigh sé gach deis go fonnmhar an RUC a cháineadh agus a stróiceadh, nó chuir sé an locht orthusan as é a fhágáil san fhaopach cionn is gur Caitliceach é.

Ach níorbh é sin an fáth a raibh fuath ag Pól air. Thug a uncail athair Phóil ina cheann; a chrot, a ghluaiseacht, na friotail chainte fiú. Gach uair a d'fheicfeadh sé é, bhuailfeadh spreang inteacht é. *D'íosfainn le gráinnín salainn é!* Ach ba chuma leis sin inniu. Bhí sé le pósadh. D'amharc sé ar a uaireadóir arís.

'Gabh thusa amach chun tosaigh, a Liam, agus féach an bhfuil iomrá ar bith uirthi. Is fuath liom moilleadóireacht. Tá a fhios aici sin.'

Shiúil Liam síos an dá chéim ón altóir agus thug cineál de léim le gach dara céim. Chaith Pól a cheann siar go feargach. 'Siúil mar is ceart, in ainm Dé!'

Tháinig Liam ar ais dhá bhomaite ina dhiaidh sin agus eagla ina chuid súl. 'Níl sí ann, a Phóil.' D'fhan sé leis an phléasc; cha dtáinig sé. 'An rachaidh mé ar ais le fanacht léi?'

'Ná déan! Beidh sí ann gan mhoill.'

Bhí a fhios aige nach mbeadh Alison mall, bhí sé cinnte de. Chuaigh fiche bomaite eile isteach gan iomrá ar bith uirthi, ná ar dhuine ar bith dá teaghlach ach an oiread. Bhí cogar ag dul thart ar an bheagán daoine a bhí i láthair. Fosclaíodh an doras ag cúl na haltóra agus shiúil an sagart suas chuig Pól.

'A Phóil, an féidir liom focal a bheith agam i do chluas?' ar sé os íseal. Chlaon Pól a cheann síos chuige. Lean an sagart leis: 'Fuair mé scairt ghutháin ó mháthair Alison agus, bhuel, is oth liom a rá, ach ní bheidh sí ag teacht.'

'Cad é?'

'Is é sin an teachtaireacht a fuair mé. Dúirt a máthair liom a rá leat go bhfuil sí iontach buartha ach nach mbeidh Alison ag teacht. Síleann a máthair nach bhfuil Alison réidh don phósadh go fóill, agus ... níl agam ach an méid a dúirt sí liomsa ... agus, go bhfuil sí an-bhrónach ach is é is fearr do gach duine.'

'Cad é?' Bhí Pól ag screadaigh go fíochmhar. 'In ainm

foc!' Phléasc Pól as a chraiceann. 'Bitseach … focain bitseach.
Ní dhéanfadh sí seo orm, ní dhéanfadh … ní thiocfadh léi!
A focain máthair a rinne seo! Tá Alison dúnta i ngrá liom,
ní dhéanfadh sí seo orm, a focain máthair atá ag cur baic
uirthi a theacht anseo. Cá'l an fón sin?'

'San oifig ag an chúl, a Phóil, ach ní shílim go ndéanfaidh
sé difear….'

'Is cuma liom sa foc cad é a shíleann tusa, labhróidh mise
léi agus beidh sí anseo gan mhoill.' Rith sé amach ag cúl na
haltóra agus an sagart sna sála air. 'Cá'l an focain fón sin?'
Bhí na súile ata ina chloigeann. Bhí a aghaidh lasta go bun
na gcluas. 'CÁ'L AN FÓN?'

D'fhoscail an sagart doras na hoifige agus rith Pól
isteach gur thóg sé an fón. Bhuail sé na huimhreacha agus
sheas sé ansin breis agus leathbhomaite ach cha dtáinig
freagra ar bith. Phléasc sé arís. 'Bastaird … na focain bastaird!
Ní dhéanfaidh siad seo orm. Rachaidh mise chucu agus
gheobhaidh mé féin í.'

Leis sin, rith Pól amach an méid a bhí ina chnámha as an
oifig agus amach as an eaglais fríd dhoras beag ag taobh na
hofrála agus gach duine ag stánadh air. Rith sé leis ar feadh
cúig bhomaite is fiche gan stad go dtáinig sé go teach Alison
ar Bhóthar an Bhaile Aird.

D'amharc sé thart air féin, ní raibh neach le feiceáil ar an
tsráid. Rith sé suas go dtí an doras agus thosaigh a bhualadh
cnaga air lena dhorn; chomh trom sin gur ródhóbair dó an
fhuinneog bheag dhaite a bhriseadh. Bhí sé ag screadaigh in
ard a chinn agus beirfean feirge air: 'Alison! Alison! Gabh
amach anseo anois! Gabh amach anseo, tá mé ag inse duit,
a Alison, gabh amach anseo anois láithreach!'

Tháinig comharsanaigh amach leis an challán a fhiosrú ach nuair a chonaic siad an chuma a bhí ar Phól agus chomh scanrúil leis, b'eagal dóibh dul a fhad leis. Chuaigh duine acu ar ais le fios a chur ar na póilíní.

Ní raibh freagra ar bith ón teach. Rith sé go fuinneog mhór thosaigh an tí. Ní raibh duine ar bith le feiceáil istigh. D'amharc sé thart air féin sa gharraí go bhfaca sé pota mór agus bláthanna ann. Thóg sé an pota gur chaith isteach fríd an fhuinneog é. D'úsáid sé a chos leis an ghloine a bhriseadh isteach agus dhreap sé isteach.

Ní raibh duine ar bith sa teach. Chuardaigh sé gach seomra, ag scriosadh gach rud nach raibh ceangailte síos. D'fhoscail sé doras sheomra Alison agus ina luí ar an leaba chonaic sé an gúna pósta. Phléasc sé arís: 'FOC! FOC! FOC!' Rug sé ar an ghúna agus rith síos staighre ag scréachach leis. Bhí an gúna faoina ascaill agus é ag ciceáil gach rud thart air. Thóg sé luaithreadán ón tábla agus chaith fríd scáileán an teilifíseáin é. Ní raibh mórán fágtha nach raibh léirscriosta aige.

Níor chuala sé na póilíní ag teacht isteach agus ní raibh sé réidh dóibh. Léim duine acu ar a dhroim agus thit sé go talamh. Rug sé greim ar a lámh dheas agus rinne iarracht é a tharraingt thart ar a dhroim ach ba láidre Pól ná a cheap sé. Scairt sé ar an dara póilín cuidiú leis. Rug seisean greim tachta ar mhuineál Phóil gur bhrúigh sé isteach sa bhrat urláir é. Bhí an bheirt acu ina suí air anois, ceann ar a thóin agus an duine eile ar a cheann. Sa deireadh fuair an póilín greim ar an dá lámh agus chuir sé na glais lámh air. Sháimhrigh Pól rud beag ina dhiaidh sin.

Níor mhair an streachailt mórán níb fhaide agus Pól

smachtaithe faoin bheirt. Tháinig an tríú póilín isteach agus idir an triúr acu thóg siad Pól ina sheasamh agus tharraing amach go dtí an jíp é. D'fhoscail duine acu an doras cúil gur chaith siad isteach é. Agus Pól sa jíp, bhí na póilíní uilig cromtha anuas agus ag análú go trom.

'Cad é sa foc a tharla dósan?' a d'fhiafraigh póilín amháin.

'Níl barúil agam, ach tabhair le fios sa stáisiún go mb'fhéidir go mbeadh cúpla duine eile a dhíth leis an ghealt seo a chur sa chillín.'

'Déanaigí cinnte go bhfuil greim daingean agaibh air,' a dúirt an tiománaí.

Nuair a bhain siad an stáisiún amach, ní hé go raibh sé suaimhnithe, ach ba mhó go dtáinig stangadh nó mairbhe air. Caitheamh isteach sa chillín é gan mórán stró.

Chaith Pól dhá lá sa chillín gan smid as. Shuigh sé ar an tocht rubair, na cosa fillte ina chéile agus a chloigeann cromtha anuas agus níor stop sé de bheith ag luascadh anonn is anall. Níor ith sé agus níor chodail sé, agus níor dhruid sé a shúile ar feadh soicind. Stán sé síos ar na bróga gan iallacha, gan beocht ar bith ina shúile.

Bhí an dochtúir istigh aige ar feadh fiche bomaite ar an chéad lá agus ní raibh ciall ar bith le fáil aige as Pól.

Mhínigh an dochtúir don tsáirsint: 'Ní síceolaí mé ach is léir gur taom síocóise a bhain dó mar gheall ar theagmhas trámach inteacht. Is fearr dó san otharlann ná istigh anseo.'

D'amharc an sáirsint isteach air fríd an haiste. Fágadh bia agus uisce sa dá mhias phlaisteacha ar an urlár dó. Níor bhac Pól leo. Cha dtáinig duine ar bith eile isteach le labhairt leis go tráthnóna an dara lá, nuair a phill an sáirsint le hinse dó nach raibh tuismitheoirí Alison ag iarraidh cúis ar bith a chur ina leith dá ndíolfaí na costais agus é gealltanas a thabhairt nach ndéanfadh sé iarracht teagmháil a dhéanamh lena n-iníon arís. Ráiteas a bhí ann seachas ceist. Níor dhúirt Pól a dhath.

'Is mó atá dochtúir a dhíth air ná príosún, a bhean uasal,' a mhínigh an sáirsint do mháthair Phóil. 'Ní bheidh muidne ag tabhairt cás ina éadan. Ní chreidim go ndéanfadh sé maith ar bith, bealach amháin nó eile, anois agus na costais socraithe agaibh. B'eispéireas an-trámach é a bheith tréigthe mar sin agus is léir nach raibh sé ábalta dó. D'fhág an dochtúir piollairí suain dó ach beidh ort labhairt lena dhochtúir féin agus socrú inteacht eile a dhéanamh dó. Tá muidne sásta é a fhágáil faoi do chúramsa.'

Scaoileadh Pól saor faoi chúram a mháthara agus an tuiscint nach ndéanfadh sé teagmháil le hAlison Bishop anois ná ag am ar bith eile go brách.

Gheall a mháthair don tsáirsint: 'Ní dhéanfaidh Pól aon teagmháil leis an cheamach sin arís, agus an dóigh ar fhág an draoibeog mo mhaicín bocht ina sheasamh ag an altóir. Is giodróg déanta í. Is mó ná sásta a bheas mé gan í a fheiceáil arís go deo!'

Shínigh sí na páipéir uilig a bhí le síniú. Nuair a tháinig sí amach as an oifig arís bhí póilín ina sheasamh san fhorhalla agus Pól ag a thaobh. Ní raibh cuma rómhaith air, a chloigeann crom agus dreach mairbhe ar a aghaidh. Chuaigh siad beirt chun an bhaile i dtacsaí. Shiúil Pól isteach go dtí a sheomra leapa, ag greadadh an dorais ina dhiaidh.

Dhiúltaigh Pól labhairt le dochtúir. Níor fhág sé a sheomra ach le dul chuig an leithreas, agus fiú ansin, d'fhanfadh sé go lár na hoíche, nó nuair a shíl sé gan duine a bheith fá theach. D'fhágfadh sé nóta greamaithe den doras ag inse dá mháthair cad é a bhí uaidh: bia, leabhair, irisí. D'fhágfadh sé a chuid éadaigh amuigh ar an urlár agus d'imeodh an t-éadach glan a d'fhágfadh a mháthair dó. Thuig a mháthair go maith nárbh fhiú tabhairt air a theacht amach go raibh sé féin réidh; níorbh é seo an chéad uair a chaith sé tamall fada ina sheomra, rinne sé amhlaidh ar feadh tréimhse sula bhfuair a athair bás.

D'fhágfadh sé nóta i gclúdach agus airgead ag a mháthair do Liam le fístéipeanna agus irisí ar leith a cheannacht. Chuaigh beagnach trí mhí isteach sula bhfaca sí Pól agus tharla sé sin de thaisme, nuair a shíl sé go raibh sí amuigh. Bhí féasóg air. Ní raibh cuma mhaith air agus bhí sí an-bhuartha ar fad faoi. Níor labhair sé.

Ní raibh a dheirfiúr, Cáit, sa teach chomh minic ó tháinig Pól ar ais. Ba mhór an náire a chuir Pól uirthi agus gach duine ag caint ar eachtra na heaglaise. Ba mhó ná sin an eagla a chuir sé uirthi. Bhí sí féin fiche a hocht anois agus ba mhinice í amuigh ná istigh ar chor ar bith, ag iarraidh é a sheachaint. Thapaigh sí an deis bogadh amach as an teach le saol a dhéanamh di féin, ag míniú dá máthair go dtabharfadh sé an t-am do Phól a theacht ar ais chuige féin. Bhí fear aici le tamall agus chaith sí mórán dá cuid ama leisean. Níorbh é an caidreamh is fearr ar domhan é ach b'fhearr léi bheith leisean ná bheith sa teach le Pól a thuilleadh. Ba chuma sa tsioc le Pól.

Léigh Pól go cíocrach. Bhí suim i gcónaí aige sna

Coirscéalta Fírinneacha. Ina theannta sin, cheannaigh sé aon leabhar a thiocfadh leis faoin ábhar chéanna; bhí leabhragán s'aige lán den chineál sin. Bhí an nós léitheoireachta sin aige ó bhí sé óg. B'fhearr leis an léitheoireacht ná labhairt le duine ar bith, óg nó aosta, agus chaith sé an tréimhse seo ag léamh.

Beagnach bliain ó lá an tarlaithe i dteach Alison, shiúil Pól amach as a sheomra ag deich i ndiaidh a seacht ar maidin agus chuaigh síos an staighre. 'Cupán tae, a mháthair, agus ceapaire cáis agus oinniún.'

Baineadh a hanáil dá mháthair nuair a chonaic sí é arís. Bhí sé bearrtha agus, cé go raibh a chuid gruaige fada go fóill, bhí sí nite glan agus cíortha. Thug sí cupán tae dó, leathlán agus líonta go barr le huisce fuar, mar ab fhearr leis é. D'ól sé an tae. 'Beidh mé ag dul amach inniu, a mháthair. Tá cúpla rud le déanamh agam,' a dúirt sé, amhail is nár tharlaigh rud ar bith ariamh. 'An bhfuil mo chárta bainc agat, a mháthair?'

''Bhfuil tú ceart go leor, a Phóil, tá ... tá cuma iontach maith ort, a stór. Gabh mo leithscéal ... tá sé i mo sparán.'

'Tabhair domh é, mura miste leat. Tá mo liúntas ag bailiú leis sa bhanc. Ba bhreá liom cuid de a úsáid.'

'Cinnte, a stór, déan thusa cá bith rud is maith leat; is leatsa é.'

'Cuir scairt ar Liam chomh maith, thart fá am lóin, agus abair leis bheith anseo ag a seacht tráthnóna. Nuair a thiocfas sé, cuir suas staighre láithreach é. An bhfuil sin uilig soiléir?'

'Tá go maith. Liam ... chuig do sheomra ... ag a seacht,' a d'fhreagair sí le droim Phóil agus é ag imeacht amach ar an doras.

Bhí a fhios ag Pól go dtiocfadh Liam gan mórán moille, dhéanfadh sé rud ar bith le sos a fháil ón obair shuarach a bhí aige i dteach a sheanmháthara. Bunús an lae a bheadh sé ag tabhairt aire di. Obair náireach, a ghoill go mór air. Bheathódh sé trí huaire sa lá í agus d'éistfeadh sé léi ag rámhaille gan mórán céille. Báire na fola a bhí ann a hionladh agus ag folmhú a soitheach leithris. Ba léir an grá a bhí aige di, ach go fóill, b'fhuath leis an obair dhroch-mheasúil sin.

Shiúil Pól amach go dtí an garáiste ag taobh an tí. Bhí gach cineál cuimhne istigh ansin. An óige uilig nár chaith sé. Na bréagáin spóirt go léir a cheannaigh a athair dó; bréagáin nach raibh úsáid aige dóibh go dtí anois. Bhí slis *baseball* agus ceann eile cruicéid ann agus seanchamán nár thóg sé ariamh ina shaol. Cheannaigh athair Phóil gach rud dó ach níor bhac Pól leo ariamh.

'Cad é an cineál fir thú nach n-imríonn spórt?' a deireadh sé de bheoghuth leis. Rinne na focail macalla ina cheann agus é ina sheasamh san áit cheannann chéanna a bhfuair a athair bás blianta fada roimhe sin.

Nuair a bhí an fardal déanta aige, chuaigh Pól díreach ón teach go dtí an gníomhaire eastáit nach raibh ach deich mbomaite de shiúl ón teach. Shuigh sé ag labhairt le bean óg ag a deasc gur roghnaigh sé árasán beag iontach a d'fhóir go deas dó.

'Is cás éigeandála é, a bhean uasal. Tá an éarlais agam más sin an fhadhb? Ní miste liom an costas ach an oiread.'

Ba léir di, ón bhlas cainte a bhí aige, go raibh oideachas air agus airgead aige.

'Ní hé, ar chor ar bith, a dhuine uasail, ach glacfaidh sé seachtain ar a laghad seo uilig a shocrú. Tá áit bheag iontach roghnaithe agat ansin, go díreach mar atá uait. Ceantar beag deas ciúin mar a d'iarr tú ... ach an maorlathas a chur i gcrích.' Thaispeáin sí pictiúr den taobh istigh dó chomh maith. 'Beidh tú ar an bhunurlár, mar is fearr leat, agus tá do bhealach féin isteach agat. Seomra leapa amháin agus cithfholcadán. Tá an chistin agus an seomra suí mar sheomra amháin; ach is áit bheag ghalánta í agus troscáin úra tí uilig ann.'

'Beidh sin ar dóigh ... an dtig liom airgead a chur síos air anois lena dhaingniú?'

'Labhróidh mé le mo chomhghleacaí, ach sílim go mbeidh sin i gceart, a Uasail Stewart.'

'Patrick, le do thoil!'

Bhí Pól sásta, nó bhí an t-árasán cóngarach d'eastát tionsclaíochta ar léigh sé faoi a raibh carrchlós mar chuid de. Nuair a tháinig an bhean óg ar ais, thug Pól £100 di agus thug buíochas as an dea-obair.

Chroith sí an lámh a shín Pól chuici. 'Beidh cúpla rud le líonadh isteach agat, a Patrick, nuair a thagann tú ar ais le do chárta aitheantais. Glacfaidh sé cúpla seachtain gach rud a chur in ord, ach beidh d'árasán féin agat gan mórán moille.'

Shiúil Pól síos Bóthar an Chladaigh go lár chathair Bhéal Feirste, turas a ghlac thart ar thríocha bomaite. B'éigean dó dul fríd na geaftaí slándála a bhí mar shealán cruaiche thart ar lár na cathrach. Chuardaigh fear beag slándála é go neamhchúramach ach bhí saighdiúir armáilte taobh leis. Chuaigh Pól ar aghaidh go dtí an Oifig Chlárúcháin Bhreithe agus Bháis.

Labhair sé leis an fhear óg taobh thiar den ghreille ag an chuntar.

'Teastas breithe atá a dhíth orm.'

'An bhfuil ainm, dáta breithe, ainmneacha na dtuismitheoirí agus seoladh agus eile agat?'

'Tá.' Shín Pól an t-eolas chuige.

'Patrick Stewart. Aonú lá déag d'Iúil, 1956. Maith go leor, a dhuine uasail, má thig tú ar ais i ndiaidh am lóin, thart ar a trí ... beidh sé seo réidh duit.'

Shiúil sé amach. Bhí gach rud beartaithe aige agus machnamh déanta ar gach gné den obair. Níor chomhtharlú ar bith é gur roghnaigh sé ainm Patrick Stewart. Bhí Patrick in aon rang leis ar scoil agus bhí an dáta breithe céanna acu. *Níos fusa do dháta breithe féin a chuimhneamh ná ceann eile a fhoghlaim!*

Bhí seacht n-eischeadúnas ag athair Phóil lá den tsaol, agus bhí athair Patrick fostaithe aige mar bhainisteoir réigiúnach. Nuair a fuair athair Phóil bás, dhíol a mháthair na gnóthaí uilig. Bhí an draoi saolta saibhris acu ó shin. Níor fhostaigh an dream úr athair Patrick, ach d'éirigh leis post a fháil i ngrúdlann i gCorcaigh. Bhog sé a theaghlach uilig síos go Corcaigh agus, go bhfios do Phól, bhí siad uilig ann go fóill. Bhí fillteáin uilig na n-acmhainní daonna i stóras sa gharáiste amuigh ó shin. Fuair Pól gach eolas ó na cáipéisí sin.

Bhí Pól agus Patrick cúig bliana déag d'aois nuair a d'imigh siad, agus, mar gheall air sin, bhí a fhios aige nach mbeadh Patrick Stewart cláraithe le gníomhaireacht stáit ar bith sa Tuaisceart. Shiúil sé isteach san oifig phoist. D'fhiafraigh sé de dhuine ansin cá raibh na foirmeacha iarratais do na ceadúnais tiomána. Bhí both fhótagrafaíochta sa choirnéal. Shuigh sé ann agus i gceann cúig bhomaite tháinig na grianghraif amach. Cheannaigh sé Ordú Poist le hairgead tirim le cur leis an iarratas don cheadúnas.

Shiúil sé amach fríd na geaftaí slándála agus ar ais i dtreo a bhaile féin. Stop sé ag gruagaire ar Bhóthar Aontroma agus fuair bearradh gruaige i stíl bhearrtha nach raibh ag Pól ariamh. Ina dhiaidh sin, rinne sé a bhealach go dtí an eaglais áitiúil.

Bhí píosa ar iarratas an cheadúnais a bhí le líonadh isteach ag duine aitheanta sa phobal. Chnag sé ar dhoras theach an tsagairt agus tháinig an sagart amach. Níor aithin sé Pól.

'Haló, an féidir liom cuidiú leat?' a d'fhiafraigh an sagart.

'Tá súil agam é, a Athair. Tá gar a dhíth orm. Chuir mé isteach ar phost ar na mallaibh agus dúradh liom go bhfaighinn é dá mbeadh ceadúnas tiomána agam. Bhí mé ag súil go ndéanfá an dá phictiúr agus an fhoirm seo a shíniú, le do thoil.'

'Agus cé thú féin?'

'Gabh mo leithscéal, is mise Pól Ó Doibhlin.'

'Aithním an sloinneadh.'

'Bheadh aithne mhaith agat ar mo mháthair, bíonn sí ag tacú leis an eaglais seo go minic.'

'Sé, sé. Aithne mhaith agam ar do mháthair … gabh isteach, a Phóil. Is mór an chabhair a thugann sí don eaglais seo, a stócaigh.'

Shín Pól an t-iarratas chuige. 'Níor mhaith liom moill a chur ort … níl a dhíth orm ach do shíniú air sin, agus ar an dá phictiúr. Más é do thoil é!'

'Cinnte, cinnte!'

Shín Pól peann chuige agus leag an sagart an leathanach ar thábla beag san fhorhalla. Scrúdaigh sé an fhoirm.

'Níl an chuid eile líonta isteach agat go fóill?'

'Níl,' arsa Pól, 'is í mo mháthair a dhéanfaidh sin domh, déanann sise na rudaí oifigiúla uilig a líonadh isteach.'

'Tuigim go maith,' arsa an sagart, agus shínigh sé leis.

'Beidh mo mháthair an-bhuíoch duit.'

'Am ar bith, a Phóil ... tabhair mo bheannacht di, le do thoil!'

'Cinnte, a Athair. Dhéanfaidh mé sin. Slán agat anois!'

D'imigh Pól ar ais i dtreo lár na cathrach agus cheannaigh cóip de *Auto Trader* i nuachtánaí sular lean sé air go dtí an banc. Bhí air seasamh i scuaine tamaillín go bhfuair sé labhairt leis an airgeadóir. 'Ba mhaith liom míle punt as mo chuntas, le do thoil!'

Thug sé a chárta don bhean óg agus bhuail sí na huimhreacha isteach sa ríomhaire. D'amharc sí ar Phól.

'An bhfuil tú cinnte gur mhaith leat an méid sin a bhaint amach, a dhuine uasail?'

'Nach sin a dúirt mé leat ... nár thuig tú nó nach raibh tú ag éisteacht mar is ceart?'

Bhain boirbe na cainte siar aisti. 'Gabh mo leithscéal, a dhuine uasail, níl ann ach ... is airgead mór é míle punt, agus ... bhuel, tá sé contúirteach an méid sin a iompar thart leat.'

D'amharc Pól uirthi agus dreach gránna ar a aghaidh. Labhair sé go híseal: 'An amhlaidh gur óinseach déanta thú? An gcaithfidh mé labhairt leis an bhainisteoir leis an bheart shimplí seo a dhéanamh?'

Rinneadh meig den bhean óg. D'fhreagair sí é go binb:

'Beidh orm labhairt leis an bhainisteoir le suim chomh mór seo a thabhairt amach.' Sheas sí agus shiúil go hoifig bheag taobh thiar di.

Sheas Pól gan chorraí ach a shúile ag spléachadh thart le feiceáil ar thug duine ar bith faoi deara. Ba chosúil go dtug. Bhí sé rud beag feargach leis féin faoi sin. *Ná tarraing aird ar bith ort féin, a Phóil.*

Tháinig an bainisteoir amach leis an bhean óg agus labhair sé le Pól. 'Cad é mar ba mhaith leat seo, a dhuine uasail: caogaidí, fichidí, déaga?'

'Fichidí, déaga agus cúigeanna, mura miste leat, agus an féidir liom mála a fháil chomh maith? Níor mhaith liom é a iompar thart i mo phóca.'

'Cinnte. An raibh tú míshásta leis an tseirbhís anseo, a dhuine uasail?'

'Taobh amuigh den…. Ní raibh. Ná bí buartha, níl mé ag druid an chuntais, tá go leor airgid fágtha ann agus beidh airgead reatha ag dul isteach ann go fóill.'

'Tuigim.' Thug an bainisteoir an t-airgead dó i mála éadaigh bainc. Níor dhúirt Pól focal eile, thiontaigh thart, agus shiúil amach.

Shiúil Pól cúig bhomaite go dtáinig sé ar chaife. Roghnaigh sé tábla i gcoirnéal an tseomra. Tháinig an fear chuige: ''Bhfuil a fhios agat cad é atá uait, a fhir uasail?'

'Caife amháin le bainne.'

'Beag nó mór?'

D'amharc Pól air idir an dá shúil.

'Mór, agus go leor bainne ann lena fhuarú rud beag. Maith go leor?'

Tharraing Pól an t-iarratas tiomána agus peann as a

phóca agus líon isteach an t-eolas úr. *Fáilte romhat Patrick Stewart.* Chuir an smaointiú gliondar air.

D'fhoscail sé an *Auto Trader* agus thosaigh á scagadh. Bhí a fhios aige cad é a bhí uaidh; ní hamháin sin ach b'eol dó an dath. *Carr beag glas, nó más gá, dúghorm. Ach b'fhearr liom glas.* Léigh sé síos, ag breacadh nótaí ar an imeall. Fá dheireadh uair an chloig, bhí cúig uimhir aige ar imeall an pháipéir. *Ceann amháin glas. Mura bhfuil mé sásta, bainfidh triail as amárach arís.*

D'éirigh sé agus chuaigh a fhad leis an ghuthán sa choirnéal. Bhuail sé isteach uimhreacha an chéad fhógra.

'Chonaic mé go bhfuil carr ar díol agat!' Dúirt an glór go raibh. 'Ba mhéanar liom amharc air, dá dtiocfadh liom...? Patrick Stewart.... Is é, ní bheidh mé féin ann, tá mé ag obair, ach cuirfidh mé mo mheicneoir chugat, mura miste leat? ... Go maith!'

I ndiaidh an chúrsa meicneoireachta, thuig sé na rudaí ab fhearr dó a sheachaint. D'fhág sé an caife agus rinne a bhealach go dtí an seoladh ar Bhóthar Chromghlinne. D'aithin sé an carr sa gharraí. Ar an tsracfhéachaint, bhí cuma mheasartha air, cé gur seancharr é. D'fhoscail fear mór tanaí an doras.

'Samuel Collins an é?'

'Is mé.'

'D'iarr Patrick Stewart orm a theacht agus spléachadh a thabhairt ar charr dó.'

'Sin sa gharraí é. Fan go bhfaighidh mé an eochair.'

Nuair a chuir sé an eochair ann, thosaigh sé láithreach. Thaitin sé sin le Pól.

'An miste leat má amharcaim faoin bhoinéad?'

Tharraing an fear hanla sa charr agus fosclaíodh an boinéad. Bhí an carr sean go leor; deich mbliana b'fhéidir. VW Polo agus an dath ceart glas air. *Beidh beagán oibre le déanamh air, ach sílim go raibh an t-ádh orm!*

'Tá cúpla rud le hathnuachan ... agus beidh beagán oibre le déanamh agam le hé a ullmhú don MOT, ach má íslíonn tú an praghas rud beag, molfaidh mé dó é a cheannacht. Gheobhaidh muid beirt cúpla punt as!'

D'amharc an fear air, ag iarraidh é a mheas. 'Cad é a chiallaíonn ísliú sa chás seo? Níl mé ag iarraidh ach £500 ... dá n-ísleoinn a dhath eile é, níorbh fhiú mo shaothar é.'

'Éist liom, a chara, is meicneoir mé, agus tá mé ag inse duit, ní bhfaighidh tú £500 ar an charr sin go deo. Beidh an t-ádh ort má gheibh tú £300. Éist ... molfaidh mé don bhoc eile seo £400 a thabhairt duit má bheir tusa £50 ar ais domh féin?'

Rinne an fear machnamh ar an mhargadh agus chroith sé a cheann in aonta: 'OK, déanta!' Chroith siad lámh.

Chuir Pól a lámh ina mhála agus tharraing amach mol airgid. Chuntas sé £350 amach i lámh an fhir, a raibh cuma mhearbhlach air anois.

'An bhfuil turasleabhar feithicle agus na páipéir eile ann?'

'Tá.'

Thiomáin Pól an carr amach an cabhsa agus i dtreo lár an bhaile agus cár air go dtí an dá chluas.

Thart fá mhíle ó theach úr Patrick Stewart, bhí an t-eastát tionsclaíochta ina bhfaca sé comhartha mór ag fógairt spás páirceála. Thiomáin Pól go díreach chuige. Bhí áit pháirceála le fáil ar cíos ann ar £100 sa bhliain. Thug sé ainm agus seoladh Patrick agus dhíol £100 glan leis an fhear sa bhoth. D'fhág sé an carr agus shiúil síos go lár na cathrach leis an teastas breithe a thógáil.

D'amharc an fear síos fríd an chnap foirmeacha in oifig na dteastas go dtáinig sé ar an teastas cheart. 'Dhá phunt, le do thoil?'

Thug Pól an t-airgead dó agus síneadh an teastas chuige i gclúdach litreach. Chuir sé gach rud sa chlúdach amháin, scríobh seoladh na hOifige um Cheadúnais Tiomána air, agus chuir isteach sa bhosca poist díreach taobh amuigh de dhoras na hoifige é.

Bhí cuid mhaith den lá caite agus é sásta go dtearn sé gach rud ar a liosta. *Píosa beag amháin eile le Liam agus sin é.* Bhí a fhios aige go dtiocfadh Liam ag a seacht a chlog ar an toirt agus b'fhíor dó, dar ndóigh.

Shuigh Liam ag bun na leapa ag fanacht le Pól labhairt.

'Maith thú, a Liam, tá a fhios agat mar atá mé faoin phoncúlacht. Tá rud contráilte le duine nach bhfuil poncúil, an bhfuil an ceart agam nó nach bhfuil?'

'Tá, a Phóil, go dearfa.'

'A Liam, déanfaidh tú gar domh amárach. Rachaidh tú go siopa athláimhe le héadaí a cheannacht. Anois, níor mhaith liom tú dul go siopa ar bith cóngarach dúinn, caithfidh tú dul go lár an bhaile. Ní domhsa atá siad, ach d'fhear Cháit. Ná habair dada le duine ar bith faoi. An dtuigeann tú?'

'Tuigim. Cad é an cineál éadaigh?'

'Tá dhá liosta agam duit agus cinntigh go gcuirfidh tú an dá ualach i málaí éagsúla, an dtuigeann tú?' Chroith Liam a cheann. 'Tá méideanna agus gach rud scríofa síos duit, ní bheidh ort ach iad a cheannacht. Bhéarfaidh mé go leor airgid duit leis sin a dhéanamh. Nuair a thiocfas tú ar ais, fágfaidh tú na héadaí uilig sa gharáiste amuigh. An bhfuil sé sin soiléir go leor?'

'Iontach soiléir, a Phóil. Dhéanfaidh mé seo gan botún ar bith, fan go bhfeice tú.'

An lá arna mhárach, bhí na málaí sa gharáiste. Cheannaigh sé gach rud a bhí ar an liosta; cótaí, cultacha, léinte, geansaithe agus bróga. Bhí Liam féin sásta go dtearn sé jab maith do Phól, thaitin sé go mór leis Pól a shásamh. Chuaigh sé díreach chun an bhaile i ndiaidh dó na málaí a fhágáil sa gharáiste, mar a dúirt Pól. Chaith sé an chuid eile den lá lena sheanmháthair ach aoibh air anois go raibh Pól ar ais ar a sheanléim.

Taobh amuigh dá shaol lena sheanmháthair, ní raibh aige ach Pól, agus anois nuair a bhí Alison amuigh as an scéal, ba mhó an aoibh a bhí air. Ní hé nach raibh teaghlach ag Liam, bhí deartháir agus deirfiúr aige agus, ar feadh a shaoil, bhí a thuismitheoirí dírithe orthusan an t-am ar fad. Bhí siad beirt píosa maith níb óige ná é agus an dúfhuath acu air, rud, a chreid Liam, a chothaigh a thuismitheoirí. Ní raibh caidreamh ceart aige le páistí na clainne ariamh. Bhí sé faoi bhagairt acu gan labhairt leo in am ar bith. Dá bhfeicfeadh sé iad ar an tsráid, bheadh air siúl go dtí an taobh eile lena seachaint. Le himeacht uathu agus a thuismitheoirí a ba mhó a ghlac sé le moladh a thuismitheoirí bogadh isteach lena sheanmháthair sa chéad dul síos.

Chaith Pól an tseachtain sin ag cóiriú an chairr agus ag malartú cúpla seanpháirt le páirteanna úra. Fuair sé na páirteanna spáráilte ón chlós dramh-mhiotail a bhí ar imeall an bhaile.

'Cúpla páirt atá a dhíth orm do VW Polo agus beidh rotha breise a dhíth fosta. An miste leat má théim féin thart?'

'Maith go leor, tabhair rud ar bith atá uait ar ais anseo.'

Shiúil sé thart go dtáinig sé ar shean-VW Polo. Bhí uirlis bheag crochta óna chrios, scriúire agus scian mar chuid de. Bhí cúpla rud uaidh, plátaí seanPolo ach go háirithe. Bhain sé na plátaí den charr agus chuir isteach sa phóca istigh iad, a rinne sé go speisialta ina chóta fhada. Bhain sé scáthán ón taobh chomh maith agus thug sé sin ar ais leis go dtí an stóras, áit a raibh an fear ag fanacht.

'Seo an rotha. Tá dóigh mhaith air go fóill … gheobhaidh tú bliain nó dhó eile as sin go furast.'

'Cad atá uait don dá rud sin?'

'Tabhair deich bpunt domh agus beidh sé ina mhargadh.'

Bhí Pól breá sásta an méid sin a dhíol, bhí an dá phláta aige. *Níos fusa ná a shíl mé, tá sé ag dul go rómhaith!*

An tráthnóna sin, agus a chuid oibre féin curtha i gcrích, d'fhan sé sa teach ag léamh. Le bliain anuas, agus é i bhfolach ina sheomra, thóg sé nós úr: éisteacht leis an nuacht ar an raidió. Gach uair an chloig, thógadh sé na cluasáin agus d'éisteadh sé, ag fanacht le scéal fá dhúnmharú seicteach inteacht a tharlódh ar shráideanna an Tuaiscirt. Bhí spéis aige sna scéalta sin go speisialta. Bhreac sé síos nóta de gach teagmhas; an áit ar tharla sé, an t-am ar tharla sé agus an áit a dteachaidh na déantóirí i ndiaidh na heachtra.

D'fhoghlaim Pól cúpla rud suimiúil óna uncail agus

cúpla gloine fíona ólta aige ag tábla an dinnéir; ba cheann acu sin, nach raibh an RUC ar dhóigh ar bith éifeachtach i mbun fiosrúchán, dúnmharaithe ach go háirithe. Shuífeadh sé ag an tábla ag inse a chuid scéalta faoi neamhinniúlacht na bpóilíní, é féin san áireamh; nach raibh traenáil chuí orthu nuair a bhain sé le fiosrúchán dúnmharaithe, ná coiriúlacht ar bith eile, dála an scéil.

'Táthar ann le bac a chur ar na Fíníní amháin, sin é! Gheobhadh duine ar bith ar shiúl le marfach dearg sa tír bheag seo dá mbeadh siad cliste go leor, agus ní róchliste atá mé a mhaíomh ach an oiread.' D'éisteadh Pól go cúramach agus cuimhne ghéar aige. Thuig sé go mbeadh an t-eolas úsáideach amach anseo.

D'aithin Pól, ó bheith ag éisteacht leis an nuacht agus ó léamh na bpáipéar, gur annamh a tháinig an RUC ar dhuine de dhúnmharfóirí na n-íobartach seicteach, más rud é go dtáinig siad ar dhuine ar bith. Thuig sé láithreach gur bhain sé le randamacht an dúnmharaithe, nach raibh aithne ag an íobartach ar dhéantóir na coire agus, ar ndóigh, neamh-inniúlacht na bpóilíní féin.

Thuig sé go maith na deacrachtaí a bhí ag póilíní; ach sa chathair, bhí an scéal i bhfad ní ba chasta. Bhí fiche dúnmharú, nó iarracht dhúnmharaithe, sa mhí san áit bheag shuarach seo. Cha dtáinig an RUC ar dhuine amháin féin, agus bhí an tír ina caor mhire. Cha dtearn sé dearmad ar mhagadh an uncail, nach raibh an RUC in inmhe coir a chosc ná a réiteach.

Bhí teaghlach Phóil ina gcónaí i gceantar airgid i dtuaisceart Bhéal Feirste, cé gur Caitlicigh iad. Bhí teach mór aonair acu. Níor bhain an marfach i dtuaisceart na hÉireann leis an tamhnach bheag shíochánta seo ariamh, ná le duine ar bith eile a raibh airgead acu. Bhí garraí trí acra thart ar an teach agus balla trom mar imeall air. Taobh amuigh de scéala a uncail, níor bhain gnáthshaol Bhéal Feirste leisean ariamh, agus go dtí gur bhuail sé le Liam, níor bhuail Pól le duine ón chosmhuintir ariamh.

Ba iad seo na blianta a ba mheasa i dtuaisceart na hÉireann ó bhí tús na seachtóidí ann. I mí an Mhárta 1988, bhí Béal Feirste trí thine. Lean ionsaí dobhuille ionsaí eile. Mharaigh an SAS triúr ball den IRA i nGiobráltar. D'ionsaigh Michael Stone sochraid an triúir a maraíodh i nGiobráltar i Reilig Bhaile an Mhuilinn in Iarthar Bhéal Feirste. Maraíodh beirt shaighdiúirí an tseachtain ina dhiaidh sin. Bhí borradh uafásach faoin chath agus d'aithin Pól go mbeadh deis aige féin leas a bhaint as seo lena bheart féin a chur i bhfeidhm.

Chaith sé beagnach bliain ag síormhachnamh ar an teagmhas agus d'úsáid sé an bhliain le gach féidearthacht a thomhas agus a phleanáil. Bhí tuaisceart Bhéal Feirste lán de chomhéadain sheicteacha, talamh torthúil don duine ar mhaith leis mioscais nó níos measa a dhéanamh agus ba sin a ba mhian le Pól a dhéanamh.

Shuigh Pól ag tábla na cistine le bricfeasta a ithe lena mháthair. Bhí tósta agus marmaláid aige mar a bhí de nós aige agus d'ól sé cupán tae.

'Tá an chuma ort go bhfuil tú ar ais ar do sheanléim, a Phóil.'

'Tá, a mháthair … i gceart anois. Ní raibh a dhíth orm ach an t-am le mo thalamh féin a chomhaireamh.' Rug Pól ar lámh a mháthara, rud a thóg a malaí. 'Tuigim go raibh tú buartha ach ní gá duit a bheith. Chuir mé an droch-chor sin díom i ndiaidh an chéad seachtain. Tá mé réidh le sin uilig. Nach bhfuil an chuma sin orm, a mháthair?'

Rinne sí comhartha lena ceann in aonta. 'Más maith leat labhairt faoi, a stór ... má chuidíonn sé leat, ní gá ach a rá liom.'

'Níl rud ar bith le labhairt faoi, a mháthair. Tuigim cad é a tharla. Tá gach rud soiléir i m'intinn agus socróidh mise é ar mo dhóigh féin.'

Tháinig fáthadh an gháire ar a béal. 'B'fhéidir nach raibh sí i ndán duit, a stór, agus más fíor sin, bhuel, ba mhór an gar nach dtearn tú é. Thig leat dul ar aghaidh le do shaol....'

'Tá tú contráilte, a mháthair. Bhí Alison i ndán domh go cinnte. Bhí an locht go hiomlán ar a máthair. Bhí a fhios agam ariamh nach raibh sise i bhfách liom. Ní dhéanfadh Alison sin orm d'aon turas, bhí sí i ngrá liom ... tá go fóill. Ba í a máthair a chur d'fhiachadh uirthi an t-ainbheart sin a dhéanamh.'

Baineadh stangadh aisti ag éisteacht leis. 'Bhuel, níl a fhios agat go cinnte gur mar sin a bhí, a stór.'

D'amharc Pól ar a mháthair, dhírigh a mhéar thosaigh uirthi agus labhair sé go híseal: 'Tá a fhios agam, a mháthair. Glac uaimse é ... tá a fhios agam! Agus is maith atá a fhios agam é!'

Chiúnaigh a mháthair agus shuigh sí ansin ag ól a cuid tae. D'amharc sí air agus imní uirthi nár chuir Pól an droch-chor de ar chor ar bith ach gur cur i gcéill a bhí ann. Labhair a mháthair go dáiríre: 'Más maith leat labhairt liom faoi sin, nó rud ar bith eile, a stór, abair amach é.'

'Mar a dúirt mé, a mháthair, tá mé i gceart anois. Réitigh

mé gach rud i m'intinn le linn na bliana. Tá gach rud go maith.' Chríochnaigh Pól an tae. 'Ní bheidh mé anuas don dinnéar, a mháthair, fág ag an doras é ag a seacht.' Chuaigh sé suas staighre.

Shuigh sé ag a thábla. Bhí léarscáileanna leagtha amach roimhe le línte dearga ag rianú gach limistéar comhéadain, na cinn sin i dtuaisceart Bhéal Feirste ach go háirithe.

Gach lá ina dhiaidh sin go cionn trí seachtaine, roghnaigh sé ceann amháin de na ceantair agus shiúil sé thart air i rith an lae. Bhreac sé síos nótaí ar gach rud a bhí ann, gach caolsráid, gach fál, gach sconsa, ard nó íseal, agus ghlac sé nóta de gach carr, an áit a raibh sé páirceáilte, agus araile. Chuir sé suim faoi leith i mbeáir agus i siopaí. Bheadh sé ní b'eolaí ar an cheantar ná aon duine a chaith a shaol ann.

Phillfeadh sé air san oíche chomh maith, cé gur thuig sé an chontúirt a bhain le bheith ag siúl i gceantar mar sin sa dorchadas, d'fhear ach go háirithe, ach b'éigean dó. Bhí air gach rud a chinntiú san oíche, gach bealach éalaithe a thriail mar a bheadh iarracht thrialach ann. Níor mhaith leis a bheith buailte nó caillte le sonra ar bith.

Bhí ceantar amháin go háirithe, a raibh limistéar comhéadain iontach contúirteach ann agus an dá phobal bonn le bonn le chéile. Bhí siopa beag ag coirnéal na sráide agus náisiúnaithe amháin a thiocfadh isteach ann mall san oíche. Bhí beár ann fosta, go díreach ar an phríomhbhóthar, ach ar thaobh na náisiúnaithe; agus cé go raibh cás slándála thart ar an doras, thuig sé go mbeadh ar dhaoine dul chun an bhaile mall sa dorchadas, agus bhí sé dorcha sa cheantar seo san oíche.

Bhí ceithre shráid go díreach mar an gcéanna ann agus

bóthar beag á scoilteadh leathbealaigh síos. Bhí caolphasáistí idir gach teach agus corrcheann acu gan geaftaí. Bhí oíche amháin a dtáinig patról coise síos an tsráid agus chuaigh Pól i bhfolach i ngarraí a raibh fál ard thart air. Níor thug siad faoi deara é. Chothaigh sé sin muinín faoin áit.

Tháinig sé cúpla uair i lár na hoíche le bealaí éalaithe a thriail. Bhí garraí tosaigh amháin a raibh fál measartha ard thart air agus caolphasáiste a fhad leis a bhí iomlán glan ó bhacainn. Bhí air an poll fríd sconsa an chúlgharraí a leathnú rud beag ach thug sin faill dó dul go cúlgharraí na sráide thíos faoi, agus amach ansin fríd chaolphasáiste eile. Bhí a charr ag fanacht leis ansin. Bhí eochair aige do gheafta an eastáit tionsclaíochta. Ní fheicfeadh duine ar bith é ag teacht fán am sin d'oíche.

Ar an oíche roghnaithe, rinne Pól a bhealach go dtí a charr. Thóg sé amach na plátaí bréagacha a bhí i dtaisce i mbúit an chairr agus ghreamaigh iad os cionn phlátaí an chairr le téip. Dhruid sé an geafta ina dhiaidh ach níor ghlasáil sé é. Pháirceáil sé an carr sa chéad sráid den cheathrar. Ní raibh ach cúpla carr ar an tsráid ach ní ba thábhachtaí, ní raibh duine ar bith thart. Rinne sé a bhealach go dtí an caolphasáiste leis an fhál ard, agus d'fhan ansin go ciúin.

Bhí Seán Ó Tuathail ina shuí sa bheár le cúig uair an chloig. B'annamh leis a bheith sa bheár ach bhí cúis mhaith cheiliúrtha aige anocht. Bhí a bhean chéile san otharlann le trí seachtaine anuas ach inniu fuair sé an dea-scéal go scaoilfí chun an bhaile í an lá dár gcionn. Gheall Seán don dochtúir go ndéanfadh sé cinnte go bhfaigheadh sí an cúram ab fhearr sa bhaile leisean agus cheadaigh an dochtúir di dul abhaile.

Bhí an áit á bánú de réir a chéile agus fear an tí ag scairtigh air: 'Goitse, a Sheáin, tá sé in am duit dul chun an bhaile. Tá sé leath i ndiaidh an mheán oíche agus lá mór romhat amárach. Coimhéad tú féin ... ag siúl chun an bhaile.'

D'ól sé siar in aon slogóg amháin an leathphionta a bhí fágtha aige. 'Tá go maith, tá mé réidh!' Bhain sé a chóta de dhroim na cathaoireach, ag streachailt leis na muinchillí ar a bhealach amach. Bhí an oíche dubh dorcha agus fuar, agus gan solas lasta ar na sráideanna. Bhí cith éadrom fearthainne ag titim. Thiontaigh sé ar chlé agus thug a cheann ar an bhaile. Ní raibh an baile rófhada uaidh, barr na sráide agus ar dheis agus trí bhomaite siúil ina dhiaidh sin.

'Oíche amháin eile, sin é ... oíche amháin eile liom féin agus beidh gach rud ar ais mar ba chóir.' Níor chuala Seán ach *'Fenian bastard!'* Níor mhothaigh sé an chéad bhuille ag teacht ach leagadh é láithreach. D'imigh na cosa faoi agus thit sé ar a thóin agus siar ar a dhroim. Briseadh a ghualainn dheas leis an chéad bhuille, bhris an dara buille a thórac. Bhuail an tríú cnag a ghiall; rinneadh smidiríní dó. Tháinig stealladh buillí anuas air, ach faoin am seo bhí Seán ina spéiceadán. Bhí an t-ádh dearg air. Bhí an cinneadh déanta ag Pól nach maródh sé an chéad duine ach d'fhág sé leathmharú é. Ní dhéanfadh an fear bocht lá cothrom oibre arís ina shaol.

Níor mhair an t-ionsaí ach fiche soicind ach bhí damáiste uafásach déanta. Scread Pól *Fenian bastard* trí huaire le linn an ionsaithe agus ansin bhí sé ar shiúl. Bhí gach rud tomhaiste agus faoi théarmaí Phóil, níorbh ionann é agus lá sin a phósta.

Bhí Pól síos an pasáiste agus amach fríd an chúlgharraí taobh istigh d'fhiche soicind, agus deich soicind ina dhiaidh sin bhí sé ina charr agus ag tiomáint go mall go bun na sráide agus ar chlé amach ar an phríomhbhóthar.

Seacht mbomaite ina dhiaidh sin, bhí Pól páirceáilte san eastát tionsclaíochta. Bhain sé de na héadaí dorcha agus chuir air a chuid éadaigh féin. Bhí mála dubh do na héadaí dorcha agus chaith sé i mbúit an chairr é sular bhain sé de na lámhainní rubair agus shiúil amach go réidh i dtreo theach a mháthara.

Luigh sé siar ar a leaba agus, den chéad uair le breis agus bliain, tháinig suaimhneas ar Phól. Níor mhothaigh sé chomh suaimhneach seo ach uair amháin eile ina shaol. Chuimhnigh sé siar ar gach buille, ceann i ndiaidh a chéile, ag cuimhneamh gach fuaim, gach cnagadh, gach glothar, gach uile rud ab fhéidir leis. De réir a chéile bádh gach náire, gach olc, agus thit sé ina chodladh.

Mhúscail sé leis an aláram ag 6:55 a.m. D'éist sé leis an raidió fríd na cluasáin. Rinneadh tagairt ghairid ar an nuacht don ionsaí. D'éist sé gach uair ina dhiaidh sin leis an scéal. Ag a cúig dúirt siad gur chreid na póilíní gur ionsaí seicteach a bhí ann. Níor fhág sé an teach ar feadh dhá lá. Faoin tríú lá, ní raibh iomrá ar an scéal ní ba mhó.

Fuair Pól eochracha an árasáin úir an tseachtain sin. Thug sé cuairt air mall san oíche. Bhí a dhoras féin aige ar taobh. Gheobhadh sé isteach is amach gan cur isteach ar na daoine a bhí thuas uaidh. Bhí an t-árasán ar thaobhshráid, scoite ón phríomhbhóthar agus thart ar mhíle níos faide síos i dtreo na cathrach óna theach féin; cóngarach go leor don phríomhbhóthar chéanna.

Bhí áit bheag ar an bhóthar a dhíol earraí tí agus maidin lá arna mhárach chuaigh sé ann le cúpla rud a cheannacht; citeal, plátaí agus a leithéid. Ní bheadh mórán a dhíth air sa teach. Fuair sé gach rud an lá sin. D'fhan sé ar feadh roinnt uaireanta an chloig mar Patrick; bhí sé an-thógtha faoin áit.

Chuaigh sé ar ais chuig an charr an oíche sin agus thóg an mála as an chófra. Thug sé ar ais go dtí an t-árasán úr é agus chuir na héadaí san inneall níocháin. Bhí sé socraithe anois. Bhí gach rud in ord agus in eagar. Phillfeadh sé gach lá go dtiocfadh an ceadúnas sealadach tiomána. San idirlinn, chuir sé iarratas isteach faoi ainm Patrick leis an scrúdú tiomána a dhéanamh.

Sheas Pól ar feadh bomaite ag coimhéad an bhóthair. Ní raibh idir an dá phobal ach an bóthar beag tanaí seo, fiche slat, d'fhéadfá a rá, agus gan ann ach 500 slat ón áit a dtearn sé an t-ionsaí. Shiúil sé suas an bóthar faoi sholas an lae. Ar thaobh na náisiúnaithe den bhóthar, bhí seanmhonarcha, a bhí druidte le blianta, a raibh balla ard thart uirthi. Bhuail an balla le sconsa na scoile Caitlicigh agus stop an sconsa nuair a shroich sé cúl gharraithe na chéad sráide. Bhí ceithre shráid i ndiaidh a chéile anseo ina raibh Caitlicigh amháin ina gcónaí.

Ar an taobh aontachtach den bhóthar bhí sraith de thithe leathscoite, ag rith suas beagnach go barr an bhóthair, le corrshráid ag casadh isteach ar chlé go ceantar mór aontachtaithe. Bhí garraí ag gach teach. *Iontach maith, beidh sé foirfe!* Ar ndóigh, ní raibh solas ar bith ar an bhóthar san oíche, bheadh sé dubh dorcha.

An oíche sin, phill sé ar an áit arís agus thug faoi deara scaifte fear óg, idir ocht mbliana déag agus na luathfhichidí, ag ól taobh istigh de sconsa na scoile. Chuaigh Pól i bhfolach i gcaolphasáiste agus choimhéad iad ag múitseáil thart. D'éist sé leis an challán cainte agus iad ag maíomh as a bhfearúlacht.

D'fhan sé i bhfolach gur scaip siad, trí uair an chloig ina dhiaidh sin, agus chuaigh anonn go dtí an áit a raibh siad ag ól, thóg dhá bhuidéal fholmha: buidéal Buckfast agus ceann Olde English, agus chuir i mála beag a bhí aige dá uirlisí iad. *Ar fheabhas, tá seo rófhurasta!* Bhí air bearna a dhéanamh sa sconsa taobh leis an phríomhbhóthar. D'úsáid sé castaire a bhí leis ina mhála leis an scriúbholta a scaoileadh. Scaoil sé an bolta ag a bhun sa dóigh is go dtiocfadh leis an tslat iarainn a bhogadh ar leataobh nuair ba mhian leis.

Shuigh sé sa dorchadas ar feadh uair an chloig ar a sháimhín suilt, ag coimhéad na dtithe ar an taobh eile den bhóthar, ag samhlú dó féin na daoine a bhí ina gcónaí iontu. Ar an tsiúlóid chun an bhaile, bhí an tsástacht ag bruidearnaigh istigh ann. Thaitin an tsiúlóid sa dorchadas go mór leis, mar a rinne ariamh. Bhí aithne faoi leith ag Pól ar an oíche.

Bhuail Pól isteach go dtí an t-árasán úr go mall oíche Luain agus ar an urlár san fhorhalla bhí clúdach tiubh donn ag fanacht leis. *Féiniúlacht úr!* a smaointigh sé go lúcháireach. D'amharc sé thart air féin, thart ar an árasán bheag seo agus an ceadúnas úr ina lámh. *Tá gach rud ag teacht le chéile, ní thig liom a chreidbheáil chomh furast leis. An scrúdú tiomána an chéad rud eile.*

Bhí Pól ábalta tiomáint le fada, cé nár thiomáin sé carr le blianta beaga anuas. *Árachas don charr inniu, is fearr deimhin ná díomá! Tá súil agam go stopfaidh na póilíní mé leis an aitheantas úr.*

Maidin Dé Máirt, d'éirigh sé ag 6:55 a.m. D'éist sé leis an nuacht a leaschraol scéal faoi phóilín a maraíodh le gunna a goideadh ó bheirt chorparálacha a maraíodh in Iarthar Bhéal Feirste roinnt míonna roimhe sin, ach ba chuma leis faoin scéal sin, bhí Pól ag fanacht le réamhaisnéis na haimsire, a thuar go mbeadh an aimsir go holc an lá sin, ach gur measa ar fad a bheadh sé ar an Chéadaoin. *Oíche Chéadaoin mar sin. Tá gach rud réidh.*

Chaith sé an mhaidin sin ag léamh. Bhí sé ag fanacht le Liam a theacht, bheadh sé ann ag am lóin mar a hiarradh air. Bhí cóip den fhís-scannán *Jack the Ripper* i mbailiúchán Phóil agus cé go bhfaca sé fiche uair é, ba mhian leis comhrá a thógáil ar an ábhar le duine inteacht agus ní raibh aige ach Liam.

D'amharc siad ar an scannán le chéile gan smid as ceachtar acu; bhí a fhios ag Liam gan labhairt le linn scannáin. Ag an deireadh, chlaon Pól a cheann agus chuir ceist ar Liam: "Bhfuil a fhios agat an rud is cliste faoin scéal sin ar fad, a Liam?'

D'amharc Liam air. Níor thaitin ceisteanna Phóil leis ar chor ar bith, agus ceisteanna mar seo ach go háirithe. Thuislbgh sé thar a fhreagra go mallbhreathach agus fuair sé faoiseamh nuair a d'fhreagair Pól a cheist féin.

'Gur thug sé an eang leis.' Bhí Liam ag amharc ar ais air

go ceisteach. 'Níor rugadh air ... d'éirigh leis ... fuair sé ar shiúl leis! Ach, cé gur éalaigh sé, nó b'fhearr a rá, nár rugadh air, d'fhéadfadh sé a bheith i bhfad ní b'fhearr mar...' D'amharc sé ar Liam arís ag fanacht leis an cheist. Cha dtáinig sé. 'B'fhearr i bhfad é dá sílfeadh siad gur dúnmharuithe randamacha iad, gan aon bhaint acu lena chéile. Sin an fhadhb le dúnmharfóirí srathacha: fágann siad a lorg ina ndiaidh, nó comharthaíocht inteacht a léiríonn gur iad a rinne é, amhail is go raibh siad ag iarraidh go mbéarfaí orthu. Ach mura bhfuil aon chosúlacht idir na dúnmharuithe, agus mura bhfuil aon cheangal idir déantóir na coire agus an t-íobartach, nárbh fhearr i bhfad é? Ní bheadh a fhios ag aon duine gur an duine amháin a rinne iad uilig. Ná tóg comhramh ar bith leat agus ná húsáid na huirlisí céanna faoi dhó.'

'Is dócha é...!' agus é go fóill idir dhá chomhairle.

'Níl aon 'is dócha' faoi, a Liam, tá sé sin cinnte, creid uaimse é!' *Is dúramán thú, a Liam.*

Chaith siad píosa maith eile den lá i seomra Phóil agus é ag míniú gach rud faoin dearcadh a bhí aige ar an ábhar. Ar a seacht, d'iarr Pól air imeacht. Chaith Pól an chuid eile den oíche ag samhlú na hoíche amárach, le gach mionsonra agus gach iarmhairt a mheas.

Caithfear gach féidearthacht a mheas, gach eagla na heagla. Luigh sé siar ar a leaba agus thit sé ina chodladh go suan agus na smaointe ag snámh thart go trialach ina cheann.

Mhúscail sé maidin Dé Céadaoin agus chuir air na cluasáin le héisteacht leis an nuacht agus réamhaisnéis na haimsire. Bhí teannas sna Sé Chontae mar ba ghnách agus tháinig draothadh beag gáire ar a aghaidh. *Mar is maith liom é ... agus an aimsir go holc. Scéal in aice le mo thoil.* Bhí sé ag siúl síos an staighre nuair a chuala sé a mháthair i mbun cainte lena dheirfiúr sa chistin. Stop sé agus thug cluas.

'Tá Breandán ag obair, dhéanfaidh mé rud beag siopadóireachta ... gheobhaidh mé bia duit don dinnéar anocht, más maith leat.'

'Beidh tú i gceart, a stór, tá go leor istigh. Cad é mar tá rudaí eadraibh?'

'Go hiontach ... an-mhaith ar fad faoi láthair. Tá an teach beag galánta againn agus anois go bhfuil seisean ag obair, bíonn mo chuid ama féin agam an lá ar fad. Is breá liom sin, suaimhneas sa teach. Is mór a d'athraigh sé ó fuair sé an jab seo fosta, tá sé socraithe go maith, sin a bhí a dhíth air.'

'Go maire sé é!'

'Dá bhfeicfeá é ag dul amach ar maidin agus a chulaith air! Bhí mé iontach bródúil as, a Mham. Is mór an difear a dhéanann jab do dhuine.'

'Buíochas do Dhia!'

D'ísligh Cáit a glór rud beag amhail is go raibh poll ar an teach. 'Cad é mar tá Pól?'

Ghéaraigh Pól a chluasa ar chluinstin a ainm dó.

'Níl mé cinnte, a stór. Tá an chuma air go bhfuil sé iontach sásta ar fad, róshásta b'fhéidir, ní fhaca mé mar seo é ... bhuel, ó fuair d'athair bás. Ach, is rabhadh i gcónaí é an iompraíocht seo do rud eile, iompar inteacht nach mbeidh chomh maith sin.'

'Beidh comóradh m'athara ann i gcionn míosa, an ndéanfaidh tú rud ar bith?'

'Ní shílim é, níor mhaith liom na droch-chuimhní a dhúiseacht, go háirithe anois agus é san áit a bhfuil sé.'

'Ar labhair tú leis ariamh faoin rud a tharla do Dhaid, a Mham?'

'Cad é a déarfainn leis?'

'An bhfuil a fhios aige cad é a tharla ar chor ar bith?'

'Níl a fhios agam, a stór ... níor labhair mise leis agus níor fhiafraigh sé díomsa ach an oiread.'

Sheas Pól le dul suas go dtí a sheomra. Is maith a bhí a fhios aige cad é a tharla. Thángthas ar athair Phóil ina charr féin sa gharáiste ag taobh an tí. Féinmharú a dúirt an cróinéir. Ghlac sé moll piollairí suain agus chuir sé píobán ón sceithphíopa isteach fríd fhuinneog chúil an chairr. Ní thiocfadh lena mháthair é a chreidbheáil, ní raibh lionndubh ar bith air ... níor mhothaigh sise é cá bith. Bhí sé ina luí sa charr marbh. Dúirt an dochtúir léi gur seo mar a tharlódh sé go minic agus nach dtiocfadh le duine ar bith é a mhíniú. B'éigean di é a chreidbheáil, fiú murar thuig sí é.

Ní raibh an chuma ar Phól, cé acu a bhí nó nach raibh, go raibh sé fríd a chéile faoi bhás a athara; a mhalairt ar fad, ba léir go raibh sé ní ba shona ar feadh tréimhse ina dhiaidh sin. Níorbh fhada go raibh sé ina éan corr aonarach arís. D'aithin sí an dea-spionn a bhí air nó dúirt sí leis go raibh súil aici go mairfeadh sé. Ar a laghad bhí sé ag dul amach ní ba mhinice anois.

''Bhfuil a fhios agat,' ar sí, 'seans gur chuidigh an ... an rud seo ... an tubaiste seo leis. Sílim gur athraigh sé é ar dhóigh. Tá sé níos sásta anois ná bhí ariamh.'

Ba sin an abairt dheireanach a chuala Pól ag pilleadh ar a sheomra.

D'fhan sé ansin go dteachaidh a mháthair a luí. D'éist sé bomaite ag a doras. Ciúnas. Chuaigh sé amach. Thóg sé an camán a bhí ina luí sa gharáiste le blianta agus chuir i bhfolach faoina chóta fada é. Shiúil sé go hárasán Patrick Stewart sa cheantar bheag chiúin Phrotastúnach. Bhí na héadaí uilig réidh aige ansin; bhí gach rud réidh. Bhí sé lán sásta leis féin.

Ar theacht suas go dtí an t-árasán dó, d'amharc sé thart le cinntiú nach raibh aon duine á choimhéad. Bhí gach rud go maith. Bhain sé de gach ball éadaigh nuair a bhí sé istigh agus d'fhill go néata ar chathaoir iad. Chuir sé na héadaí fillte isteach sa mhála canbháis a bhí leis an oíche roimhe ré agus an dá bhuidéal ar bharr sin arís. Chuir sé fial beag plaisteach isteach sa mhála fosta. Sheas sé tamaillín gan chorraí. 'Seo é,' a smaointigh sé, 'Seo é!'

Bhí sé i ndiaidh a haon ar maidin nuair a shiúil sé na deich mbomaite go dtí an t-eastát tionsclaíochta. Scaoil sé an glas ar an gheafta agus shiúil go dtí a charr. D'fhoscail sé an búit. Bhí bosca lámhainní rubair ann agus plátaí bréagacha don charr. Chuir sé air péire lámhainní agus chroch na plátaí os cionn na gceann eile le téip sular shuí sé isteach. Thiomáin sé amach agus dhruid sé an geafta ina dhiaidh, gan é a ghlasáil.

Pháirceáil sé an carr ag bun na sráide a bhí roimh shráid na scoile. Shiúil sé suas an tsráid rud beag agus isteach sa chaolphasáiste. Fríd an chúlgharraí leis agus tháinig amach arís ag an scoil. Bhí an trealamh go léir leis; an camán agus na buidéil. Chuir sé an fial plaisteach ina phóca.

D'fhan sé i bhfolach sa chaolphasáiste tamall le bheith cinnte go raibh páirc na scoile folamh. Níor ghlac sé rófhada, bhí an oíche fuar agus fliuch. Chuaigh sé isteach i gclós na scoile fríd an bhearna ag tosach na scoile. Bhí sé chomh ciúin le reilig, gan neach le feiceáil fán áit. Rinne sé a bhealach trasna na páirce imeartha go dtí an taobh thall; an áit ar scaoil sé an tslat iarainn an oíche eile. Bhí a fhios aige nach siúlfadh duine ar bith síos ar an taobh eile den bhóthar ach duine ón phobal aontachtach. Ach ba chuma leis bealach amháin nó eile dá sílfeadh daoine go bhfuair siad an duine contráilte, ba chuma le Pól sa tsioc.

Bhí a fhios aige cá raibh sé ag dul. Bhí teach ar an taobh eile le fál measartha ard thart air agus cosán beag lena thaobh a rith go cúl an tí. *Foirfe. Ní fheicfidh duine ar bith mé agus beidh siad ag coimhéad an taobh thiar den bhóthar cá bith, ag sílstean go dtiocfadh aon ionsaí ón taobh sin.*

Bhí araid bhruscair sa chosán bheag seo agus chuaigh sé síos ar a ghogaide taobh thiar de ag fanacht. D'fhan sé mar sin ar feadh fiche bomaite, an camán ina lámh agus an dá bhuidéal ag a thaobh ar an talamh. Níor nocht duine ar bith. Ní raibh sé buartha ach bhí a ghlúine ag éirí nimhneach. Sheas sé agus ar éirigh dó thug sé faoi deara duine ag teacht. *Ní fhaca sé mé. Foc, bhí sin cóngarach.* Bhí an duine ag teacht chuige anuas an tsráid ach go tobann thiontaigh sé isteach go teach eile sular bhain sé Pól amach agus d'fhoscail sé an doras le heochair. Chuaigh Pól síos ar a ghogaide arís. *Bhí an t-ádh airsean.*

Bhí Andrew Phillips ag fágáil slán ag a chailín ag an doras. Rug sé ar a coim agus tharraing isteach chuige í gur phóg sé a béal. Phóg sise ar ais é go cíocrach, an dá theanga ag spairneadh le chéile. Bhog sé a lámh síos, ach stop sí é.

'In ainm Dé, a Andrew, dá dtiocfadh sé amach … níor bheo do bheo! Beidh oíche eile againn nuair nach bhfuil an péire sa teach, bíodh foighde agat!'

'Go breá, go breá!' ar sé go spadhartha. 'Ach póg amháin eile sula n-imím?'

Tharraing sé isteach í arís agus thug póg fhada úrmhar di. Tharraing sé é féin uaithi le himeacht.

'Bí thusa cúramach, a Andrew ... tá an áit seo ag dul ar mire. Bí an-chúramach, le do thoil!'

'Bím i gcónaí, a stór, ná bí buartha!' Shiúil sé go deireadh an chosáin agus thiontaigh le lámh a chroitheadh léi.

'Mo ghrá thú, a Andrew.' Sin a chuala sé sular chas sé uaithi síos an tsráid. Ní raibh sé ach trí bhomaite óna theach agus aoibh an gháire ar a bhéal, gan neach beo le feiceáil áit ar bith.

Níor leag chéad bhuille an chamáin é ach rinneadh stacán de agus cha dtearn sé ach glamh beag íseal a thabhairt. Ba é an dara buille a chuir ar a ghlúine é. Tharraing Pól isteach go cosán beag é, as radharc. Bhris sé an ghloine ar a chloigeann. Sháigh sé Andrew bocht arís agus arís sa mhuineál gur stróic sé féith scornaí an duine bhoicht. Stop sé le hamharc thart air. Ní raibh duine ar bith ann. Tharraing sé Andrew níb fhaide isteach sa chosán bheag.

Bhí fuil gach áit. Thóg Pól an fial plaisteach as a phóca agus bhailigh cuid den fhuil a bhí ag tonnadh amach as scornach Andrew. Sheas sé soicind nó dhó, d'amharc ar an chorp ina luí ansin agus d'amharc thart air. Mhothaigh sé slán go leor le himeacht. Shiúil sé trasna an bhóthair, tharraing an tslat ar leataobh; agus chinntigh go raibh sé fágtha mar sin.

Chaith sé uaidh an camán i lár na páirce. Shiúil sé ar ais an bealach a tháinig sé, ach le casadh amháin; chuaigh sé go dtí an áit ar sheas na fir óga ag ól agus scaip sé an fhuil thart ann.

Nuair a bhain sé an carr amach, d'aithin sé go raibh fuil ar a chuid éadaigh. Chuaigh sé ar ais go dtí an caolphasáiste agus bhain de na héadaí is na lámhainní. Chuir sé air na héadaí a bhí sa mhála. Sháigh sé an t-éadach salach sa mhála agus shiúil ar ais chuig a charr gur chuir an mála sa chófra agus péire eile lámhainní ar a lámha.

Ar thiomáint ar ais go dtí an t-eastát tionsclaíochta dó, chonaic sé soilse roimhe ar an bhóthar. Bhí jípeanna saighdiúirí ag taobh an bhealaigh mhóir. Mhothaigh sé an fhuil ag bruith ann ach coinnigh sé an chloigeann. Thiomáin sé ar aghaidh ina dtreo, ag moilliú an chairr. Ní thiocfadh leis é a chreidbheáil nuair a chroith an saighdiúir a lámh leis le dul ar aghaidh.

Shiúil sé ón charrchlós ar ais go dtí an t-árasán. Rinne sé é féin a chithfholcadh agus chuir na héadaí eile san inneall níocháin le moll púdar níocháin. Mhúch sé na soilse agus shiúil ar ais chun tí.

Mhúscail Pól mar is gnách ag 6:55 a.m. Chuir sé air na cluasáin agus d'éist le nuacht a seacht: 'Maraíodh fear óg fiche bliain d'aois i dtuaisceart na cathrach aréir. Ionsaíodh an fear óg, nach raibh ach caoga slat óna theach cónaithe, i ndiaidh dó a chailín a fhágáil le dul chun an bhaile. Creideann na póilíní gur ionsaí seicteach a bhí ann agus dúirt an tOifigeach i bhFeighil go bhfuil líne chinnte fiosrúcháin acu.' Mhúch Pól an raidió.

Ghlac Pól cithfholcadh agus chuir air fo-éadaí glana, léine agus a chulaith. Chuaigh sé síos staighre ach bhí a mháthair ina luí go fóill. Ní éireodh sise go dtí thart ar a naoi. Rinne sé píosa tósta a d'ith sé le marmaláid. Bhí dea-spionn air. Nuair a bhí a chuid ite, d'fhág sé le dul go hárasán Patrick.

Nuair a d'fhoscail sé doras an árasáin, chonaic sé an litir ar an urlár. Bhí sé ag súil go mór léi. *Nach breá éifeachtacht an rialtais!* D'fhoscail sé láithreach í agus léigh go raibh coinne fá choinne scrúdú tiomána aige don tseachtain ina dhiaidh sin, ar an chúigiú lá de Mheán Fómhair. *Chomh simplí sin! Beidh an dá phobal ag dul ar mire anois.... Foirfe!*

Rinne Pól an scrúdú agus d'éirigh leis gan stró. Níor chaill sé ariamh é, cé nár thiomáin sé ach go hannamh, ach bheadh sé iontach cúramach i gcónaí. Bhí láncheadúnas tiomána aige anois faoi ainm úr; d'fhéadfadh sé dul áit ar bith ina charr gan bhuaireamh. *Dá shimplí é go dtí seo...!*

An tseachtain sin chaith sé gach oíche ag coimhéad thuismitheoirí Alison. Pháirceáil sé an carr thart ar mhíle óna dteach agus shiúil an ceantar ag foghlaim gach rud faoi theacht agus imeacht na háite. Bhí a fhios aige rud amháin faoi thuismitheoirí Alison; bhí siad bainteach leis an Chumann Lúthchleas Gael agus bhí an t-athair ar choiste an chumainn a bhí go díreach ag iamhchríoch Caitliceach ar imeall na cathrach. Rinne sé an áit sin a thaiscéaladh chomh maith.

Bhí droch-chlú na contúirte ariamh ar an chumann seo nó b'iomaí ionsaí a rinne dílseoirí ar bhaill an chlub le linn na seachtóidí agus ina dhiaidh. Cha dteachaidh an bheirt acu ann le chéile ach aon oíche amháin sa tseachtain. Lean sé iad go dtí an clubtheach dhá oíche Dhomhnaigh i ndiaidh a chéile. Thiomáin sé thart ar an chlub agus fuair áit pháirceála thart ar mhíle ón áit. Shiúil sé ar ais chuig an chlub agus d'fhan as amharc go dtáinig siad amach. Ag meán oíche, ar an dá oíche, tháinig siad amach agus siar go dtí an carrchlós. Pháirceáil siad san áit chéanna an dá uair, go díreach in aice leis an sconsa. Taobh thiar den sconsa, bhí mothar crann a rith le hais an sconsa agus lena thaobh sin bhí bóthar a chuaigh siar go ceantar mór dílseachta. Bhí an cinneadh déanta. Ní raibh a dhíth air anois ach an deis. Chuaigh Pól ar ais go mall an oíche ina dhiaidh sin leis an tslat sa sconsa a scaoileadh le go mbeadh bealach éasca isteach agus amach aige.

Bhí círéibeacha rialta sna ceantair bhochta agus bhí ionsaithe ag tarlú lá i ndiaidh lae ar na póilíní agus ar arm na Breataine. Bhí Pól ag fanacht leis an spreagadh cheart lena chéad amas eile a thabhairt. Tháinig sé sa dara seachtain i mí Mheán Fómhair nuair a mharaigh grúpa míleata náisiúnach ball den UDA i dtuaisceart Bhéal Feirste. Ní thiocfadh le Pól é a chreidbheáil. 'Fanann fear sona le séan,' a shíl sé ar chluinstin na nuachta dó.

Bhí gránghunna agus gunna beag láimhe ag a uncail, Mícheál. Choinnigh sé an gránghunna faoina leaba ina theach tuaithe agus bhí an gunna beag féinchosanta leis féin i gcónaí. 'Ar eagla na heagla,' mar a deireadh sé le hathair Phóil. Bhí a fhios ag Pól cár choinnigh a uncail an eochair do bhosca an ghránghunna. Bhí eochair bhreise don teach tuaithe ag a mháthair, nó, ba léi an teach chomh maith ach gur dúradh le Mícheál go dtiocfadh leis fanacht ann go deireadh a shaoil. Ní bheadh fadhb ar bith ag Pól an eochair a fháil i ngan fhios.

Bhí a fhios aige nach mbeadh an gránghunna in úsáid

ag an am seo de bhliain; ach níos tábhachtaí ná sin, bhí a fhios aige nach mbeadh an t-uncail sa teach ag an deireadh seachtaine. Bheadh sé i mBéal Feirste lena bhean, mar is gnách. Chaith sé gach deireadh seachtaine leis an bhean seo ó d'fhág sé an RUC ag deireadh na seachtóidí. Bhuaileadh sé isteach sa teach le haló a rá le máthair Phóil ó am go ham i ndiaidh do Phól a athair a chailleadh, ach cha dtáinig sé anois ach go hannamh, rud a shásaigh Pól.

Chuaigh Pól síos go dtí an teach tuaithe go mall an oíche Shathairn sin. Bhí an teach faoi ghlas agus faoi dhorchadas. Pháirceáil sé taobh amuigh. Bhí eochracha an tí leis ó dhrár a mháthara. Ní bheadh fadhb aige ... isteach agus amach gan stró gan fhios. Bhí geafta mór ag an tosach ach bhí eochair aige dó sin chomh maith. Bhí balla mór cosanta thart ar an teach ar fad. Chosain sé Pól anois.

Suas staighre leis agus tharraing an bosca fada amach as faoin leaba. D'fhoscail sé an tarraiceán beag a bhí ag taobh na leapa agus chuardaigh sé an eochair; bhí sé ann mar a bhí ariamh. D'fhoscail sé an bosca agus thóg amach an gunna. Bhí sé trom go leor agus fada go leor. Bhí bosca ann de shliogáin ghránghunna fosta. D'fhoscail sé an bosca. Bhí sé lán. B'eagal leis sin. *Dá n-amharcfadh sé isteach ann, seans beag go n-aithneodh sé cuid acu ar shiúl.* Ní raibh an dara rogha aige, bhí an gránghunna a dhíth air leis an phlean a chur i gcrích.

Thóg sé amach ceithre shliogán agus chuir ina phóca iad. Dhruid sé an bosca, chuir glas air agus shleamhnaigh ar ais faoin leaba é. Bheadh air cinntiú go raibh an gránghunna ar ais sa bhosca oíche Dhomhnaigh, nó thiocfadh a uncail ar ais ó Bhéal Feirste luath maidin Dé Luain.

D'fhoscail sé doras cúil an chairr agus thóg suas bun an tsuíocháin cúil. Shleamhnaigh sé an gránghunna isteach thíos ann, chuir an suíochán síos arís agus rinne a bhealach ar ais go Béal Feirste go dtí a áit pháirceála.

Chaith Pól an lá ar fad Dé Domhnaigh ina sheomra ag scagadh na bpáipéar. Chuardaigh sé gach ócáid agus imeacht a bhí ag tarlú gur roghnaigh sé dhá rud a chuideodh leis dá stopfadh na póilíní nó an t-arm é ar a bhealach chuig nó ar ais ón cheantar dílseachta, nó ón teach tuaithe an mhaidin ina dhiaidh. Fuair sé club oíche a bhíodh ag dul ar aghaidh go dtí a dó ar maidin taobh amuigh de Bhaile Aontroma; agus díolachán as búit cairr a bhí curtha ar ceal den mhaidin sin i seaneaglais ar a bhealach ar ais ó Bheannchar. *Foirfe.*

Chinn sé nach rachadh sé amach go dtí an t-am ceart, go mall agus dorcha. D'éist sé leis an nuacht gach uair an chloig go gcluinfeadh sé an raibh scéal ann faoi rud ar bith a chuirfeadh isteach ar a bheart. De réir na nuachta bhí teannas sa phobal. Bhí an pobal uilig san airdeall ag fanacht le frithbheart na ndílseoirí ó maraíodh an ball den UDA.

Ag a haon déag a chlog, d'fhág sé an t-árasán le siúl go dtí an carr. Ní raibh sé ach leathbhomaite amuigh nuair a chonaic sé saighdiúirí chuige. Den chéad uair ariamh ina shaol, bhuail sé le patról coise d'arm na Sasana agus stop siad é. Chonaic sé minic go leor iad ach níor stop siad ariamh é nó bhí sé ag baint faoi i gceantar deas meánaicmeach.

'C'ainm atá ort?' a d'fhiafraigh an saighdiúir óg.

'Patrick Stewart.'

'Dáta breithe?'

'An t-aonú lá déag d'Iúil, caoga sé.'

'Cá'l do thriail?'

'Go díreach ag rith chun tsiopa le bainne a fháil ... ansin ar ais chun an bhaile.'

Labhair an saighdiúir óg isteach ina raidió agus d'fhan siad bomaite le freagra.

'Ar aghaidh leat, a stócaigh.' Chuaigh an patról coise a mbealach féin agus Pól an bealach eile, go dtí an t-eastát tionsclaíochta.

Chuir sé na plátaí bréige ar an charr agus thiomáin go dtí an cúlbhóthar taobh thiar den chlubtheach. Bhí a fhios aige go raibh baol ann go bhfeicfí a charr páirceáilte ar an bhóthar ach ní raibh neart aige air, agus, ar dhóigh inteacht, thaitin an chontúirt leis. Thiomáin sé dhá chéad slat níos faide suas ón áit a mbeadh sé ag dul isteach. Pháirceáil sé an carr thuas ar an chosán agus chomh cóngarach de na crainn agus ab fhéidir leis. Ní raibh aon solas ar an bhóthar agus dá dtiocfadh duine ar bith ag tiomáint, ní bheadh deis acu mórán a fheiceáil ar dhóigh ar bith.

Tharraing sé aníos an chúlchathaoir agus bhain amach an gránghunna. D'amharc sé thart air féin agus nuair nach raibh dada le feiceáil, chuaigh isteach sa mhothar crann go dtí an áit ar scaoil sé an tslat. Bhí carr John agus Bernie Bishop san áit chéanna arís. Bhí sé ceathrú go dtí a dó dhéag agus shuigh sé ansin ag fanacht ... ag samhlú dó toradh na hoíche. Bhí sé tógtha.

Cúig bhomaite ón mheán oíche, bhí John Bishop ag labhairt le duine sa leithreas, ag déanamh réidh le himeacht. 'Bhí mé ag pléascadh ... b'éigean sin a scaoileadh sula n-imeoinn!' a mhínigh sé don fhear taobh leis.

''Bhfuil tusa ag imeacht anois, a John?' a d'fhiafraigh an fear.

'Tá cinnte!'

'An dtabharfá síob domh? Tá a fhios agat a chontúirtí atá sé sna hoícheanta seo, agus b'fhearr liom gan siúl chun an bhaile.'

'Cinnte, a Sheosaimh. Gheobhaidh mé Bernie agus bogfaidh muid linn.' Shiúil sé isteach sa halla agus chroith lámh ar Bernie. Chlaon sí a ceann le cur in iúl go raibh sí ag teacht. D'fhan John agus Seosamh san fhorhalla go dtáinig Bernie.

'Tá Seosamh ag teacht linn sa charr, go bun an bhóthair go díreach.'

'Fáilte romhat, a Sheosaimh,' arsa Bernie agus shiúil siad triúr amach as an chlub i dtreo an charrchlóis. 'Gabh isteach i gcúl an chairr mura miste leat, a Sheosaimh.'

Tharraing Pól an hata olla, a raibh dhá pholl gearrtha ann dá shúile, anuas ar a aghaidh. Bhrúigh sé an tslat ar leataobh agus chuaigh amach fríd an bhearna. Ní raibh sé ach trí slata ó Bernie nuair a scaoil sé an chéad urchar. Beagnach gur gearradh ina dhá leath í. Bhí Bernie marbh sular bhuail sí an talamh.

Rinneadh stalcán cloiche do Sheosamh agus folmhaíodh a phutóga. Léim John go talamh agus chuaigh Pól thart ar an charr á lorg. Ní fhaca sé é. *Faoin focain charr atá sé.* Shiúil sé ar ais agus scaoil sé an dara hurchar a bhí sa ghunna le Seosamh a bhí ina sheasamh ag doras foscailte an chairr. Chuaigh an grán trom fríd fhuinneog dhoras an chairr agus isteach i mbolg Sheosaimh. Chaith sé siar cúig shlat ón charr é. Bhí sé beo ar éigean agus a chuid fola ina slaodanna leis.

Thug Pól iarraidh athlódáil ach chuala sé daoine ag teacht amach as an chlubtheach. Thiontaigh sé ar a shála agus rith isteach fríd an bhearna. Fríd na crainn leis go dtáinig sé go dtí an carr. D'fhoscail sé an doras cúil agus chuir an gránghunna ar ais faoin tsuíochán cúil de dheifir. Dhing sé síos an suíochán. Shiúil sé thart go tapaidh go doras an tiománaí. Léim isteach. Bhain sé de a hata agus thiomáin i dtreo an cheantair dhílseachta. Bhí sé i mbarr a chéille le fearg. Cha dteachaidh gach rud díreach mar a bhí leagtha amach aige.

Thiomáin sé isteach sa cheantar dílseachta agus síos fríd ar fad go dtáinig amach ar mhórbhóthar a thug ar ais chuig a cheantar féin é agus a áit pháirceála. Bhain sé de na héadaí uilig agus na lámhainní rubair agus chuir air na héadaí a bhí sa mhála. Chuir sé gach uile rud i mála plaisteach agus d'fholmhaigh sé an mála i mbosca bruscair a bhí ag geaftaí an charrchlóis. Shuigh sé sa charr i ndorchadas an charrchlóis ar feadh uair an chloig eile agus ansin thiomáin go cúramach ar ais go teach tuaithe a uncail. Ní raibh deacracht ar bith aige: bhí an trioblóid uilig ar an taobh eile den bhaile.

Pháirceáil sé píosa ón teach an t-am seo. Bhí sé thart ar a ceathair ar maidin. Chuaigh sé isteach agus an gunna leis. Leag sé é ar thábla na cistine, bhain sé amach an dá shliogán fholmha agus chuir ina phóca iad. Fuair sé seanéadach faoin doirteal agus ghlan an gunna go dtí nach raibh boladh as. Chuir sé an gunna ar ais sa bhosca faoin leaba agus an dá shliogán nár scaoileadh ar ais ina n-áit. D'fhan Pól sa teach ar feadh trí huaire eile, ag cinntiú nár fhág sé lorg ina dhiaidh. Chuir sé an dá shliogán chaite i bpota sa gharraí, áit ar fágadh sliogáin chaite i gcónaí. Shiúil sé ar ais chuig an charr agus thiomáin ar ais go Béal Feirste.

Bhí Pól faoi shó anois. Ar a bhealach isteach go Béal Feirste, bhí bloc bóthair ag bun an phríomhbhóthair ag na póilíní. Stop Pól an carr agus chur síos an fhuinneog.

'An bhfuil gach rud i gceart a oifigigh?' a d'fhiafraigh sé den phóilín, a chrom síos le labhairt leis.

'An miste leat a inse domh cad é d'ainm agus cá raibh tú, a dhuine uasail?'

'Patrick Stewart, agus chuaigh mé go Beannchar ansin chuig an díolachán as búit cairr i gcarrchlós na heaglaise ach cuireadh ar ceal é i ngan fhios domh agus tá mé ag dul ar ais chun an bhaile anois.'

'Agus cá bhfuil sin?'

'Barr an bhóthair seo go díreach.'

'Ar mhiste leat an búit a fhoscailt, le do thoil?'

'Fadhb ar bith!'

Sheas an póilín siar, fad agus a d'fhoscail Pól an búit. Thug an póilín sracfhéachaint sa bhúit fholamh. 'An bhfuil do cheadúnas agus do pháipéir árachais leat, a dhuine uasail?'

'Tá cinnte.' Thug Pól gach rud a hiarradh air don phóilín agus nuair a tháinig sé ar ais níor dhúirt sé ach:

'Beidh sin i gceart, a fhir uasail. Bí cúramach anois.'

Thiomáin Pól ar ais go dtí an t-eastát tionsclaíochta agus pháirceáil sé an carr. Thóg sé an mála a bhí fágtha aige faoi charr eile sa chlós. Chuir sé na plátaí bréige i mbúit an chairr agus thug an mála éadaigh chun an bhaile leis. Chuir sé gach rud san inneall níocháin agus ghlac cithfholcadh.

Shuigh sé ag an tábla go raibh an níochán déanta. Chroch sé an t-éadach thart ar an teach agus chuir ag gabháil an teas. *Tiocfaidh mé ar ais ar ball leis an áit a sheiceáil.* Chuaigh sé chun an bhaile agus isteach ina sheomra. Shocraigh sé an t-aláram don 2.55 p.m. Luigh sé siar sa leaba agus thit ina chodladh go sámh.

Chodail sé néal de bhreis an lá sin. Bhí sé tuillte aige, dar leis. Nuair a mhúscail sé, mhothaigh sé neartaithe, athnuaite ar dhóigh. Chuir sé air na cluasáin agus d'éist le nuacht a trí. Ba phríomhscéal na nuachta é:

'Maraíodh bean agus gortaíodh fear go dona in ionsaí ag club Chumann Lúthchleas Gael i dtuaisceart na cathrach aréir. Maraíodh an bhean láithreach, nuair a scaoileadh í i neasraon le gránghunna. Scaoileadh an dara duine chomh maith agus fíor-dhrochbhail airsean san ospidéal. Rinneadh iarracht fear eile a lámhach ach theith an gunnadóir nuair a tháinig daoine amach as an chlub. Deir na póilíní go gcreideann siad gur frithbheartaíocht a bhí sa scaoileadh mar choir in aghaidh an chaim a rinne poblachtaigh ar bhall den UDA cúpla lá roimhe sin.

'Agus scéal eile díreach istigh anois: Deir na póilíní go mbeidh beirt fhear os comhair na cúirte ar maidin amárach as dúnmharú an fhir óig Andrew Phillips i dtuaisceart Bhéal Feirste.'

Bhain Pól de na cluasáin agus luigh siar. Dhruid sé a shúile agus thug cead dó féin atitim ina chodladh, rud nach dtearn sé go minic.

Chaith Pól seachtain iomlán ina sheomra ag éisteacht le gach nuacht gach uair an chloig. Níor athraigh an scéal. Chuir sé air a chuid éadaigh féin, a chulaith bhuidéalghlas, an chulaith a chaith sé ag an eaglais an lá sin. Shiúil sé síos go dtí oifig an phoist, cheannaigh cárta beag comhbhróin agus scríobh nóta beag air.

A Alison, a thaisce,
Tá mé an-bhuartha agus an-bhrónach faoin scéal a chuala mé ar an nuacht le déanaí gur maraíodh do mháthair. Scéal uafásach ar fad é. Tá súil agam go bhfuil tú féin agus d'athair go maith.
Má tá aon rud a dhíth ort féin nó ar d'athair, ná bíodh leisce ort a theacht chugam, fiú mura bhfuil ann ach duine le labhairt leis faoin tubaiste. Ar an drochuair, tá taithí de chineál agam féin air seo, nó chaill mé m'athair fríd eachtraí nárbh fhéidir a thuar ach an oiread.
Le comhbhrón,
Pól.

Chuir sé seoladh Alison ar an chlúdach agus chuir sa bhosca poist é. Shiúil sé amach agus tharraing a anáil go domhain. *Dochloíte, sin é … dochloíte!*

Thug sé a aghaidh ar an árasán. D'athraigh sé a chuid éadaigh, ag cur culaith Patrick air, culaith dheas liath. Mhothaigh sé go hiontach ar fad. Ba bhreá leis go raibh féiniúlacht iomlán éagsúil aige agus d'athraigh a phearsa go hiomlán leis. Rinne sé a bhealach go lár an bhaile. Chuaigh sé fríd gach bacainn slándála a bhí thart ar lár an bhaile. Bhí sé ag súil le duine de na póilíní nó na saighdiúirí a ainm a iarraidh air. Níor tharla sé, ach ba chuma leis, níor aithin duine ar bith é. Shiúil sé isteach go Banc an Tuaiscirt agus suas go dtí an cuntar.

'Ba mhian liom cuntas reatha a fhoscailt, le do thoil.'

'Cinnte, a dhuine uasail. An bhfuil cárta aitheantais agat?'

Thug sé an láncheadúnas tiomána don airgeadóir. 'Go maith, a Uasail Stewart, agus cá mhéad ar mhaith leat a chur sa chuntas inniu?'

Tharraing Pól moll nótaí as a phóca. Chuntas sé amach deich nóta fiche agus shín chuig an bhean iad.

'£200, san am i láthair, ach beidh céad punt sa tseachtain ann as seo amach. An bhfuil sé sin ceart go leor?'

'Tá, a dhuine uasail. Beidh ort cúpla rud a shíneadh anseo, mura miste leat.' Shín sí na cáipéisí chuige. 'Cuirfear do chárta amach chugat sa phost ... an é seo do sheoladh?'

'Sin é. An bhféadfainn seicleabhar a fháil chomh maith?'

'Beidh ort iarratas a dhéanamh. Bíonn seic-chuntas a dhíth de ghnáth ach má tá airgead reatha ag teacht isteach, déantar eisceachtaí.'

'Beidh airgead reatha ag teacht isteach, ná bí buartha faoi sin.'

Chuaigh mí thart agus Pól ag rith thart ar fud na háite mar Patrick. Bhí gach rud go breá ach mhothaigh sé go raibh rud amháin eile le déanamh aige.

Tháinig an deis cúpla seachtain ina dhiaidh sin, ach bhí práinn leis. Tháinig a uncail, Mícheál, le cuairt a thabhairt ar a mháthair. Bhí scéal aige di. Bheadh air beagán oibre a dhéanamh le cúrsaí slándála a fheabhsú sa teach tuaithe.

'Moladh domh cúrsaí slándála a mhéadú thart fán teach. Níor chuala siad rud ar bith sainiúil ach táthar ag moladh do gach duine, ball nó iarbhall, a bheith iontach cúramach, nó tá an bhagairt an-ard faoi láthair.'

'Cad é a dhéanfaidh tú, a Mhícheáil?' a d'fhiafraigh máthair Phóil.

'Beidh orm córas aláraim a chur isteach agus na fuinneoga a dhaingniú. Níl siad ró-olc ach ní dhéanfaidh sé dochar iad a neartú.'

Bhí Pól ina shuí ag éisteacht leis an chomhrá agus scaoll air go mb'fhéidir gur chaill sé an deis.

'An mbeidh airgead a dhíth ort?' arsa a mháthair.

'Ní bheidh, sin an dea-scéal, tá mé ag fanacht le deontas ón stát, beidh sé agam i gcionn míosa. Ar dóigh, nach bhfuil! Beidh siadsan ag díol as gach rud, beidh na hoibrithe ag teacht isteach i gcionn coicíse leis an obair a thosach.'

'Go maith! Agus beidh Bríd iontach sásta seo uilig a chluinstin chomh maith, bíonn sí iontach buartha fút agus tú leat féin sa teach sin.'

'Choinnigh sé slán mé go dtí seo agus nuair a bheas an córas slándála istigh beidh sí féin ag bogadh isteach liom, sin atá sí ag maíomh cá bith. Ní thig liom fanacht. Dála an scéil, beidh ceiliúradh agam sa teach an tseachtain seo chugainn, sula dtosaí an obair mar is ceart, mé féin agus cúpla cara. Má bhogann Bríd isteach liom ní bheidh deis agam é a dhéanamh arís. B'fhearr domh sult a bhaint as anois agus mé go fóill saor.' Rinne sé scolgháire.

'Is maith an rud nach mbeidh sí ann mar sin de,' a thairg a mháthair agus í féin ag gáire.

D'éist Pól agus rinne gáire sna háiteanna cearta. Bhí an cinneadh déanta ar a shon. Sin an oíche a dhéanfadh sé a bheart, oíche na cóisire. 'Foirfe,' ar seisean ina mheanma. *Foirfe.*

D'fhan sé ina sheomra an tseachtain ar fad ag fanacht leis an oíche a theacht. Tháinig Liam chuige lá amháin agus d'iarr Pól air dul chuig an tsiopa i lár an bhaile le lámhainní rubair a fháil dá mháthair agus clúdaigh phlaisteacha do bhróga a mháthara chomh maith, nó bhí lá mór glantóireachta ag teacht aníos agus ba bhreá leis tacú léi mar is ceart an t-am seo. Rinne Liam amhlaidh, é sásta tacú le Pól, mar is gnách.

Scrúdaigh Pól léarscáil den áit a raibh an teach tuaithe. Dá bhfágfadh sé an carr sa bhaile bheag thart ar dhá mhíle ón teach, thiocfadh leis an chuid eile a shiúl. Ach ba chontúirteach an cleas é. Thiomáin sé ar an bhóthar tuaithe, síos go dtí an baile beag cúpla oíche roimh ré. Tháinig sé ar bheár beag taobh amuigh den bhaile. Pháirceáil sé sa charrchlós thiar ar chúl agus shiúil sé thart ar mhíle go leith go dtí an teach tuaithe, beagán níos mó ná leathuair siúil. Bhí an bóthar cúng casta. D'fhéadfadh sé é a shiúl sa dorchadas agus gan mórán seans go bhfeicfí é. Bhí trí charr eile sa charrchlós go fóill nuair a phill sé agus ba léir go raibh daoine go fóill ag ól ann, cé go raibh an áit druidte. *Iontach maith. Is cinnte go mbeidh sin amhlaidh arís oíche Aoine.*

Ag a deich a chlog oíche Aoine, bhí Pól ina shuí san árasán, gléasta sna seanéadaí dorcha réidh le himeacht. Bhí gach rud aige; na heochracha, tóirse, ar eagla na heagla, agus an hata le poill gearrtha do na súile. Rinne sé a bhealach go dtí an carr san eastát tionsclaíochta. Thiomáin sé an bealach fada i dtreo Bhaile na hArda agus bhain an beár amach thart ar a haon déag. Pháirceáil sé sa charrchlós. Bhí ceithre charr eile ann cheana féin.

Shiúil sé an bóthar. Níor casadh duine ar bith air. Bhí sé dubh dorcha ach bhí drogall air an tóirse a úsáid ar fhaitíos go dtarraingeodh sé aird. Nuair a shroich sé teach a uncail, bhí an geafta foscailte agus dhá charr sa chabhsa. Chuaigh sé isteach sa díog taobh thiar den bhóthar a rith le hais an bhalla. Chuir sé na clúdaigh phlaisteacha ar a bhróga. Shocraigh sé síos agus d'fhan lena dheis.

Chuaigh uair thart sula dtáinig an chéad duine amach as an teach. Tháinig duine eile sna sála air agus bhí siad uilig ag scairtigh 'Oíche mhaith!' ar a chéile. D'imigh an bheirt i gcarr agus bhí carr amháin fágtha. Ní raibh bogadh taobh amuigh den teach ar feadh uair ina dhiaidh sin ach thart ar leath i ndiaidh a haon, tháinig triúr eile amach. Bhí siad callánach agus a macallaí ag preabadh ó bhallaí an tí agus ar fud na háite. D'imigh siadsan sa charr eile ach ba léir ón challán go raibh tuilleadh sa teach go fóill.

Uair go leith ina dhiaidh sin, tháinig tacsaí aníos an bóthar. Chonaic Pól an solas thart ar bhomaite sula dtáinig sé a fhad leis an teach. Tháinig ceathrar amach le dul sa tacsaí. Chaith siad beagnach cúig bhomaite ag fágáil slán ag a uncail agus ba léir go raibh siad uilig ar meisce. D'imigh an tacsaí agus ghluais Pól chun tosaigh rud beag, ag fanacht lena uncail dul a luí, a chroí ag preabarnach a mhéid a bhí sé tógtha sa cheann. Chuaigh deich mbomaite thart sular imigh a uncail suas staighre.

D'fhan Pól fiche bomaite eile sular fhoscail sé an doras, ag dul isteach go ciúin. Bhí buidéil de gach saghas ina luí thart fán teach. *Bhí cóisir mhaith acu, tá mé ag déanamh.* Bhí seomra a uncail thuas staighre, an chéad doras ar chlé. Shiúil sé suas ar na barraicíní ach fiú ansin bhí sé callánach. Níor chóir dó a bheith buartha nó nuair a bhrúigh sé doras an tseomra, d'fhoscail sé gan stró; bhí a uncail ina luí ar a dhroim ar a leaba agus é ag srannfach go hard. Ba challánaí é ná callán ar bith a dhéanfadh Pól.

Ní thiocfadh le Pól é a chreidbheáil ach bhí gunna

láimhe a uncail crochta ar chlár cinn na leapa. Ba bheag nár bhris an gáire air. *Focain foirfe!* Thóg sé an curra, leis an ghunna istigh ann, den chlár cinn. Tharraing sé amach an gunna agus d'aimsigh sé é ar aghaidh a uncail.

'A Mhícheáil!' a scread sé go hard. 'A Mhícheáil!' arís. 'A Mhícheáil!' Níor bhog Mícheál. Chuaigh sé a fhad leis agus bhrúigh sé ar ghualainn a uncail. 'A Mhícheáil!' a scread sé arís in ard a chinn. Thit guaillí Phóil rud beag, b'fhearr leis go bhfeicfeadh a uncail é go díreach sular scaoil sé san aghaidh é. Sheas sé ansin ag smaointiú tamall.

'Foirfe!' a scread sé amach. Sheas sé taobh lena uncail. Bhí a fhios aige go raibh a uncail deaslámhach. Thóg sé an lámh sin agus chuir na méara thart ar an hanla leis an mhéar thosaigh istigh sa gharda truicir. Chuir sé an gunna suas faoi smig a uncail agus tharraing sé an truicear. Bhí an mhaidhm chomh gáifeach sin gur bhodhraigh sé Pól ar feadh bomaite. Bhí fuil gach áit ar chlár cinn na leapa, measctha le píosaí dá inchinn. Níor athraigh dreach a uncail. Sheas Pól ansin ag coimhéad an radhairc gur imigh an míobhán as a chloigeann. D'fhág sé an gunna i lámh a uncail agus shiúil síos staighre. Bhain sé de na lámhainní rubair agus chaith sa tine iad. Dódh iad go hiomlán.

Dhruid Pól an doras ina dhiaidh agus thug sé aghaidh ar a charr. Bhí sé tríocha bomaite sular shroich sé é agus, mar a shíl sé, ag leath i ndiaidh a trí bhí daoine go fóill ag ól sa bheár. Thiomáin sé amach. Bhí a fhios aige nach dtiocfadh duine ar bith ar a uncail go ceann lá nó dhó. Ní raibh rud ar bith le bheith buartha faoi anois. Patrick Stewart a bhí ann anois. Thiomáin sé ar ais go sóch. Bhí a ghnó déanta ... *b'fhéidir rud beag amháin eile.*

Bhain sé Béal Feirste amach gan stró. D'fhág sé a chuid éadaigh san árasán agus d'fhág an carr ar ais san eastát. Chuaigh Pól a luí an mhaidin sin ina leaba féin go luath. Níor shocraigh sé an clog aláraim agus rinne sé codladh chomh sámh agus a rinne ariamh.

Níor thángthas ar chorp Mhícheáil go cionn dhá lá. Bhí a bhean, Bríd, ag scairtigh air le cúpla lá agus sa deireadh chuaigh sí síos chuig an teach. D'aithin sí go raibh carr Mhícheáil faoi ghlas sa gharáiste agus go raibh solas lasta sa chistin, ach níor fhreagair sé an doras. Scairt sí ar na póilíní ag an phointe sin agus nuair a tháinig siadsan, bhris siad an doras isteach.

B'fhollasach cad é a tharla. Ní raibh amhras ar bith ar na póilíní agus nuair a d'fhiosraigh siad é tuilleadh, fuair siad amach gur chuir a dheartháir a lámh ina bhás féin chomh maith. Bhí Bríd go hiomlán fríd a chéile, níor thuig sí é ar dhóigh ar bith. Bhí siad le bogadh isteach le chéile gan mhoill. Tugadh piollairí suain do mháthair Phóil nuair a tugadh an scéal di. Tháinig a dheirfiúr ar ais agus d'fhan sí cúpla lá le haire a thabhairt di. Níor fhág a mháthair an leaba go lá an tórraimh.

Cuireadh é sa reilig cóngarach don bhaile bheag a raibh carr Phóil páirceáilte ann an oíche faoi dheireadh. Rinneadh é a fhaire sa teach tuaithe agus bhí siad uilig ann, Pól san áireamh. An lá roimh ré chuaigh Pól agus Cáit ann leis an teach a ghlanadh. Tháinig moll póilíní chuig an tórramh chomh maith, agus gach duine a bhí ag an chóisir an oíche údaí. Ní thiocfadh leo é a chreidbheáil; ní raibh cuma air go raibh an lionndubh air. Níor shéan duine ar bith gur chuir sé lámh ina bhás féin ach dúirt fear amháin le Bríd go raibh

Mícheál ag maíomh aisti an oíche ar fad agus ag súil go mór léi bogadh isteach. Chaoin Bríd uisce a cinn leis an scéal.

Bhain Pól sult as an lá. Na daoine seo uilig ag teacht chuige agus ag nochtadh a gcomhbhróin leis. Iad go léir ag caint ar Mhícheál agus ag rá nár aithin siad seo ag teacht ar chor ar bith. Shuigh sé sa teach pobail le thart ar chéad go leith duine ag an Aifreann. Shuigh Pól ina measc agus é ag gáire leis ar an taobh istigh. _Tá mé róchliste daoibh, i bhfad róchliste!_

Cúpla lá ina dhiaidh sin, bhí gach rud socraithe síos arís agus chuaigh Pól chuig a mháthair. 'B'fhéidir nach seo an t-am ceart, ach cad é a dhéanfaidh tú leis an teach tuaithe, anois go bhfuil Mícheál ... tá a fhios agat?'

'Cén fáth, a stór?' a dúirt sí le héadan grugach. 'An bhfuil tú féin ag smaointiú air?'

'Níor mhiste liom é a úsáid as seo amach, a mháthair. Bheadh sé deas m'áit féin a bheith agam ó am go ham. Cad é a shíleann tú?'

'Cinnte, a Phóil. Ní shílim go bhfuil suim ag do dheirfiúr ann. Níor dhúirt sí rud ar bith cá bith agus ... bhuel, tá go maith, thig leatsa bogadh isteach más maith leat.'

'Labhróidh mise le Cáit, ar eagla na heagla, a mháthair. Mura bhfuil fadhb aici, bogfaidh mise síos an tseachtain seo chugainn.'

Coinneoidh mé orm ag tarraingt an deontais. Beidh seo agus árasán beag agam sa chathair chomh maith. Foirfe!

Seachtain ina dhiaidh sin, d'iarr Pól ar Liam cuidiú leis bogadh, agus ina dhiaidh sin, bail a chur ar an teach tuaithe. Gheall sé go dtiocfadh leis a theacht agus fanacht leis ó am go ham dá ndéanfadh sé sin. Bhí Liam, go díreach, sásta gur iarr sé air cuidiú leis, agus ba deacair a shástacht a mheas nuair a dúirt Pól leis go dtiocfadh leis fanacht sa teach. Bhí rud iomlán éagsúil ar intinn Phóil: bheadh duine a dhíth le hobair an tí agus le siopadóireacht a dhéanamh dó.

D'athraigh sé an teach ó bhun go barr. Chaith sé an mhórchuid rudaí amach agus stóráil aon rud luachmhar i gceann de na ceithre seomraí leapa. Thug sé cuid de go hárasán Patrick. Roghnaigh sé seomra a uncail dó féin agus choinnigh sé an leaba.

Ghlac sé breis agus dhá mhí air féin agus ar Liam gach rud a chur i gcrích sa teach, ach bhí dóigh mhaith air agus bhí Pól bródúil as an teach críochnaithe. Shuigh sé siar ina chathaoir uilleach os comhair na tine agus gloine fíona ina lámh. *Bhí sé róshimplí, i bhfad róshimplí. Cad é a b'fhéidir liom a dhéanamh le dlaoi mhullaigh a chur air? Dá bhfaighinn Alison ar ais ... barr maise go cinnte.*

Bhí Pól ina shuí sa leabharlann ag scagadh na bpáipéar nuachta ón tréimhse a maraíodh máthair Alison. Bhí scéalta ann faoin teaghlach agus pictiúr d'Alison féin agus a hathair ann. Sa deireadh tháinig sé ar phíosa a luaigh go raibh Alison ag obair mar fháilteoir ag ionad fóillíochta i dtuaisceart na cathrach. Ní raibh ach cúpla ionad mar sin sa chuid sin den chathair.

Thiomáin sé isteach go carrchlós an chéad ionaid, maidin Dé Luain ag a naoi. Bhí éadaí úra spóirt ceannaithe aige i lár an bhaile. Bhí Pól aclaí go leor mar dhuine. Bhí meáchain aige i dteach a mháthara, a bhí leis go dtí an teach tuaithe. Shiúlfadh sé gach áit i gcónaí agus anois, agus é faoin tuath, rith sé cúig mhíle gach maidin ag a seacht.

Chinn sé go n-úsáidfeadh sé a ainm féin le clárú leis an

ionad fóillíochta ar eagla go raibh Alison ag obair ann.
Nuair a shiúil sé isteach, bhí cúpla duine gléasta in éadaí
spóirt ina seasamh taobh thiar den chuntar.

'Ba mhaith liom an seomra meáchain a úsáid.'

'Cinnte. An bhfuil tú cláraithe?'

'Níl, ach an bhfuil bealach a dtig liom é a triail ar dtús,
agus más maith liom é…?'

'Thig leat ticéad lae a cheannacht … ach bheadh ball-
raíocht níos saoire san fhadtréimhse.'

'Ceannóidh mé ticéad lae go bhfeice mé.'

Dhíol Pól an t-airgead agus shiúil thart ag féachaint
amach an raibh iomrá ar bith ar Alison. Chuaigh sé go dtí
an seomra gléasta agus d'athraigh a chuid éadaigh. Bhí
cúpla duine eile ann agus mhothaigh sé míshocair. Chaith
sé dhá uair sa tseomra meáchain agus rinne babhta traenála
a bhain go leor allais as. Chuaigh sé isteach sa chaife bheag
le cupán tae a fháil agus le suí síos, ag coimhéad gach rud a
bhí ag tarlú agus gach duine a tháinig isteach. Shiúil sé
amach go dtí an forhalla agus dúirt le fear ag an chuntar go
raibh sé ag dul amach ag rith. Chlaon an fear a cheann agus
d'imigh Pól leis.

Nuair a phill sé ón rith, ní raibh iomrá ar bith ar Alison.
Ní raibh sé sásta í a fhiafraí. D'athraigh sé amach as a chuid
éadaigh reatha agus chuaigh sé chun an bhaile.

Tháinig sé ar ais gach lá ar feadh sé lá gan iomrá ar bith
uirthi. *Sin sin, mar sin de. Bogfaidh mé ar aghaidh.* Go dtí an t-aon
ionad eile sa taobh sin den chathair dó agus rinne sé amhlaidh,
cheannaigh ticéad lae agus rinne babhta traenála. Bhí sé ann
gach lá i ndiaidh a chéile go dtí an tríú lá nuair a shiúil sé
isteach agus bhí Alison ina seasamh taobh thiar den chuntar.

'Pól?' Ba shoiléir an t-iontas ina glór. 'Cad é atá tusa a dhéanamh anseo?'

'Alison? Cad é atá tusa a dhéanamh anseo?'

'Tá mise ag obair anseo ... le bliain anuas, ach cad é a thug tusa anseo?'

'Go díreach mar a tchí tú ... ag traenáil. Cad é mar tá tú, a Alison? An bhfuil tú go maith?'

D'íslígh Alison a glór, d'aithin sí go raibh oibrithe eile ag amharc orthu. Thiontaigh sí chuig duine acu: 'Jody, an miste leat seal a dhéanamh domh? Ba mhaith liom labhairt le Pól ... leis an fhear seo, le do thoil.'

Tháinig Alison thart chuig Pól agus chomharthaigh dó siúl léi go tábla san fhorhalla. Shuigh Pól ach d'fhan Alison ina seasamh.

'Tá sé deas tú a fheiceáil, a Phóil. Caithfidh sé go bhfuil sé bliain, nó níos mó...'

'Níos mó,' a chaith Pól isteach.

'Sé, níos mó ... dála an scéil, fuair mé an cárta a chuir tú i ndiaidh....'

'Go maith ... ní raibh mé cinnte cé acu an bhfuair tú...'

'Fuair, go raibh maith agat! Bhí sé iontach deas, go háirithe i ndiaidh na trioblóide uilig roimhe sin ... tá a fhios agat....'

'Ná bí thusa buartha. Tá sé sin uilig san aimsir chaite. Déan dearmad de sin uilig ... rinne mise! Tá tú ag obair anseo mar sin de? Cad é mar tá sin?'

'A Phóil, tá mé buartha ach beidh orm dul ar ais ag obair. Níor mhaith liom go bhfeicfeadh mo bhainisteoir mé i mbun comhrá le custaiméir ... tá a fhios agat cad é mar tá siad.'

'Tuigim go maith, a Alison. Tuigim!'

Agus Alison ag tiontú le dul ar ais chuig an chuntar, ghair Pól uirthi: 'Alison, ar mhaith leat cupán tae nó caife a fháil am inteacht, nuair atá tú saor ón obair ar ndóigh?'

Stop Alison agus thiontaigh sí ar ais. D'aithin Pól go raibh a dreach iomlán athraithe, bhí cuma imníoch uirthi. 'Tá mé buartha, a Phóil, ach tá mise ag siúl amach le duine faoi láthair agus ní dhéanfainn sin air, tuigeann tú … nach dtuigeann?'

Níor thuig Pól, ach níor lig sé air féin go raibh sé ag pléascadh ar an taobh istigh. Ghlac sé a neart iomlán bac a chur air féin gan ligean den racht feirge pléascadh amach as a bhéal. 'Tuigim, a Alison, tuigim go maith. Ní raibh ann ach ceist bheag, go díreach, le fáil amach cad é mar a bhí tú agus a leithéid. Ná bí buartha, tá sé i gceart!'

'Mura bhfuil ann ach sin, ba bhreá liom cupán caife a fháil am inteacht. Ba dheas liom fáil amach cad é mar tá tú féin agus cad é a bhí tú a dhéanamh ó chonaic mé thú an t-am deireanach.'

Stop Pól arís í: 'Éist, beidh mise ag traenáil anseo ó am go ham agus beidh cupán againn am inteacht amach anseo. Gabh thusa ar ais ag obair anois, níor mhaith liom trioblóid ar bith a thógáil duit.' Leis sin, thiontaigh Pól agus shiúil sé amach as an ionad. *Focain bitseach. Foc thusa, a bhitseach.*

Bhí Pól ag dul as a chrann cumhachta. Shiúil sé ar ais chuig a charr ach d'aithneodh duine ar bith a chonaic é go raibh sé ag gearradh fáinní le fearg. Shuigh sé isteach ina charr agus bhuail sé a dhá láimh go crua ar an rotha stiúrtha ar feadh leathbhomaite. Nuair a stop sé, d'amharc sé ar na feithidí uilig a bhí marbh ar an ghaothscáth. *Ní thig liom í a mharú … ach dhéanfaidh mé í a ghortú.* Thiomáin Pól ar ais go dtí an teach tuaithe an lá sin agus chaith sé an lá ar fad ag machnamh ar a fhadhb.

Nuair a d'éirigh sé an mhaidin dár gcionn ag 6:55 a.m., bhí an fhadhb réitithe aige. *Beidh sí briste nuair a chluinfidh sí gur mise a mharaigh a máthair.*

Chuir Pól air a chulaith bhuidéalghlas, culaith a phósta, agus shiúil amach go dtí an carr. Thiomáin sé ar ais go Béal Feirste agus pháirceáil san eastát tionsclaíochta mar is gnách. Chroith sé lámh ar an fhear slándála ina shuí sa bhothán. Shiúil sé deich mbomaite go dtáinig go príomh-bheairic na bpóilíní i dtuaisceart Bhéal Feirste. Sheas sé ag an gheafta mhór miotail ag tosach na beairice agus bhrúigh an cnaipe. D'fhan sé beagnach bomaite sular fosclaíodh an geafta dó. Shiúil sé isteach agus stop póilín é.

'An féidir liom cuidiú leat, a dhuine uasail?' a dúirt an póilín go múinte.

Sheas Pól chomh hard agus a b'fhéidir leis. 'Tá mé anseo le dúnmharuithe a admháil.' Ráiteas a rinne sé de ghlór diongbháilte.

'Tchím,' arsa an póilín agus iontas air. 'Gheobhaidh mé an sáirsint. Fan mar a bhfuil tú.' Shiúil sé ar ais sa bhothán slándála agus chuala Pól é ag labhairt ar an raidió. Nuair a phill sé, d'iarr sé ar Phól fanacht bomaite. Bhí Pól ina sheasamh chóir a bheith cúig bhomaite sula dtáinig duine ar bith amach. Tháinig an sáirsint sa deireadh ach bhí mearbhall anois ar Phól. *Tá mé díreach i ndiaidh admháil do mhurdair, ní nach ionadh nach bhfuasclaíonn siad dúnmharú ar bith, níl siad dáiríre faoi ar dhóigh ar bith.*

'Tar liomsa anois, le do thoil,' arsa an sáirsint agus é rud beag ní ba thromaí ná an duine roimhe. Thug sé Pól go seomra le tábla agus trí chathaoir a bhí boltáilte don urlár, le téipthaifeadán ar an tábla. Chuir sé ina shuí é sa chathaoir aonair, cheangail a lámha den tábla le dornaisc agus shiúil amach. *Ní iontas é nach gcúisítear daoine as coir ar bith anseo, tá siad chomh slibrí sin.*

Chaith Pól beagnach uair an chloig leis féin ag fanacht sula dtáinig póilín isteach le labhairt leis. Beirt oifigeach a tháinig, duine amháin le culaith éadaigh air agus oifigeach faoi éide a sheas ag an doras. Bhrúigh an bleachtaire na cnaipí ar an téipthaifeadán agus labhair sé:

'Abair d'ainm, do shloinneadh agus do dháta breithe don téip, le do thoil.'

'Pól Ó Doibhlin, an t-aonú lá déag d'Iúil, 1956.'

Thosaigh an póilín arís agus a ghlór níos réidhe: 'Anois, a Phóil, dúirt tú leis an oifigeach ar ball gur mhaith leat admháil do dhúnmharuithe?'

'Dúirt.'

'Cá mhéad dúnmharú ar fad atá i gceist agat, a Phóil?'

'Ceithre dhúnmharú agus dhá thréaniarracht.'

'Tchím, agus cad é an chéad dúnmharú a rinne tú?'

'Mharaigh mé m'athair, Pól Mór Ó Doibhlin.'

'Cá huair a tharla sin, a Phóil?'

'Ar an ceathrú lá de Lúnasa, 1971. Thart ar ocht mbliana déag ó shin anois.'

'Tchím, agus an dara ceann?'

'Ar an cheathrú lá de Lúnasa, 1988. Iarracht a bhí ann seanfhear a bhatráil le slis *baseball* ag teacht amach as beár i dtuaisceart Bhéal Feirste tamall ó shin. Déanta na fírinne, ní raibh mé ag iarraidh é a mharú, d'fhág mé beo é d'aon turas.'

'Tuigim, a Phóil; agus ina dhiaidh sin?'

'Mharaigh mé an fear óg ar an phríomhbhóthar leis na buidéil, cúig oíche ina dhiaidh sin.' Bhí Pól ag rá na bhfocal uilig gan aon bhraistint ná mothúchán. D'fhan sé gur chuir an t-oifigeach an chéad cheist eile.

'Agus ina dhiaidh sin?'

'Mharaigh mé an bhean sin ag club an Chumainn Lúthchleas Gael ar an ochtú lá déag de Mheán Fómhair, le gránghunna, agus ghortaigh mé an dara duine san ionsaí sin chomh maith.'

'Agus an bhfuil ceann eile ann, mar sin de?' Ba léir an t-amhras i nglór an bhleachtaire.

'Is é, an ceann deireanach, mharaigh mé m'uncail Mícheál Ó Doibhlin ar an tríochadú lá de Mheán Fómhair 1988. Sin gach ceann acu go dtí anois.'

'Is leor sin le dul ar aghaidh leis, a Phóil. Ar mhaith leat rud ar bith eile a chur leis sin?'

'Níor mhaith, go fóill.'

'Éist, labhróidh mé le mo chomrádaithe faoi seo uilig agus tiocfaidh mé ar ais ar ball. Tabharfaidh an t-oifigeach seo chuig cillín thú agus gheobhaidh muid cupán tae duit nó rud inteacht, más maith leat.'

'Go maith,' a dúirt Pól go borb. 'Déan thusa sin agus fanfaidh mise leat a theacht ar ais.'

Tugadh Pól go cillín beag ina raibh leaba le tocht air agus sin é. Luigh sé siar ag smaointiú ar na rudaí a dúirt sé leis an bhleachtaire. Bhí aoibh an gháire air ag smaointiú siar ar gach rud. *Cronóidh mé sin, ach ní bheadh a fhios agat, seans go mbeidh deiseanna eile agam i bpríosún chomh maith.*

Ag a cúig a chlog an tráthnóna sin, fosclaíodh doras an

chillín arís. 'Goitse liom, a Phóil, le do thoil,' a dúirt an póilín. Sheas Pól agus shiúil amach leis an oifigeach faoi éide. Bhuail siad leis an bhleachtaire arís sa halla agus d'iarr seisean ar Phól é a leanúint. D'fhoscail sé doras eile agus sheas ar leataobh le deis a thabhairt do Phól siúl isteach.

Baineadh siar as Pól. Bhí a mháthair ina suí san oifig agus sheas sí go tobann nuair a chonaic sí a mac.

'A Phóil, a stór, ná bí buartha ... beidh gach rud i gceart. Tuigeann na póilíní cad é a tharla. Bhí mise iontach buartha fút i ndiaidh d'Alison scairt a chur orm aréir le hinse domh gur labhair sí leat agus gur dhúirt sí leat go raibh sí ag siúl amach le fear eile anois. Dúirt sí go raibh sí buartha go ndéanfá rud inteacht amaideach, agus nuair a tháinig na póilíní chugam ag am lóin le rá liom cad é a rinne tú, mhínigh mé gach rud dóibh; tuigeann siad go maith cad é a tharla.'

Bhí Pól iomlán fríd a chéile anois agus ghlac sé bomaite air oibriú amach cad é a bhí ag tarlú. *Ní chreideann siad mé. In ainm foc, ní chreideann siad mé!*

Labhair an bleachtaire le máthair Phóil. 'Tá coinne déanta againn le dochtúir do Phól agus beidh ortsa cinntiú go mbeidh sé ann.'

'Dhéanfaidh mé sin, a dhuine uasail. Ná bíodh aon dabht agat faoi!'

Thiontaigh sé chuig Pól arís. 'Ní chuirfear cúis ar bith i do leith an t-am seo, a Phóil, cé gur chuir tú am s'againn amú. Ach, ná feicim thú ar ais anseo ag dul dá leithéid arís ... ní bheidh muid chomh tuigsineach an chéad iarraidh eile.'

Shiúil siad amach as an bheairic le chéile. Shocraigh na póilíní carr le hiad a thabhairt chun an bhaile. Dhruid a mháthair an doras ar na póilíní agus chuaigh isteach chun tí le Pól.

'An bhfuil tú i gceart, a Phóil?' a d'fhiafraigh sí go comhbhách.

Bhí Pól ag gáire ar an taobh istigh. *Ní thiocfadh liom féin a theacht aníos le plean níb fhearr, focain foirfe!*

'A mháthair, bíodh a fhios agat nach raibh mise chomh maith seo le mo bheo. Go raibh míle maith agat as sin a dhéanamh domh, ní thiocfadh liom féin an rud a bheartú chomh maith.'

D'aithin sí chomh sásta is a bhí sé, ní fhaca sí é chomh tógtha ariamh ina shaol. Bhí sé ag gáire ach gáire searbh a bhí ann. 'Beidh tú i gceart mar sin de ... an bhfuil tú cinnte, a Phóil?'

'A mháthair, beidh mé níos mó ná i gceart, beidh mé ar dóigh, ar fheabhas, thar barr. Mothaím go hiontach. A mháthair, níorbh iontaí liom an sneachta dearg ná sin. Na rudaí sin nár bheartaigh mé féin. Iontach, iontach ar fad.'

Bhí dinnéar acu le chéile an oíche sin agus ba léir di go raibh Pól ar mhuin na muice. Labhair sé léi mar nár labhair ariamh. An mhaidin dár gcionn, d'éirigh Pól go luath mar is gnách agus shiúil go dtí an t-eastát tionsclaíochta agus thiomáin ar ais go dtí an teach tuaithe. Rinne sé trí lá, ag ceiliúradh leis féin sa teach. *Is cliste mé ná Jack the Ripper fiú.*

Seachtain ina dhiaidh sin, fuair sé scairt óna mháthair.

'A Phóil, tá mé buartha a rá leat, ach fuair mamó Liam bás an lá faoi dheireadh. Tá mé cinnte go mbeidh Liam faoi dhólás trom.'

Chuaigh Pól go Béal Feirste lá an tórraimh agus

b'fhollasach go raibh Liam briste ar fad agus scriosta tuirseach chomh maith. Thug Pól cuireadh dó a theacht chuig an teach tuaithe le cúpla lá a chaitheamh ann. Ghlac Liam leis an chuireadh go fonnmhar.

An lá a tháinig Liam, ba léir do Phól go raibh strainc air, ba bheag nár shiúil sé thart ar Phól agus é ag teacht isteach fríd an doras, agus ní sin mar a chaitheadh Liam le Pól.

'Cad é atá ort, a Liam?' a d'fhiafraigh Pól de agus é ag siúl thart sa chistin.

'Mo focain dheirfiúr, an bhitseach.'

'Cad é a tharla?'

'Tá sí ag iarraidh mé a chaitheamh amach as teach mo mhamó, an áit ar chaith mise fiche bliain léi. Cha dtáinig duine ar bith acu go dtí an teach sin nuair a bhí mo mhamó tinn le deich mbliana anuas, mise amháin a thug cúram di; tá a fhios sin agatsa, a Phóil, chonaic tú féin sin le roinnt blianta. Anois tá sise ag iarraidh mé a chaitheamh amach le go bhfaighidh sí mo theach focain féin.'

Ní fhaca Pól Liam mar seo ariamh, níor aithin sé an duine beag feargach seo a sheas os a chomhair amach.

'Cad é a dhéanfaidh tú?' a d'fhiafraigh sé.

Thráigh fearg Liam rud beag. 'Níl a fhios agam, tá mo mháthair ag tacú le mo dheirfiúr, an gcreidfeá sin? Is fuath liom an bhitseach, is fuath liom í ... agus mo mháthair chomh maith, ag taobhadh léi, is fuath liom iad uilig. Tá mo dheirfiúr taobh thiar de seo uilig ... tá a fhios agam é. Is claitseach slítheánta í. Beidh mise amuigh ar an tsráid, fan go bhfeicfidh tú. Ní rachaidh mise ar ais go teach mo mháthara agus mo dheartháir go fóill ann ... is bastard eisean fosta. Is fuath liom eisean chomh maith. Ba mhian liom go raibh siad marbh ... gach uile dhuine acu focain marbh.'

Thóg Pól a chloigeann agus d'amharc sé ar Liam. Den chéad uair ariamh bhí meas aige air. Chuir sé a lámh ar ghualainn Liam agus dúirt: 'A Liam, a stócaigh, bí cúramach cad is áil leat.'